*Un trésor d'émotions et
d'expériences à partager*

CHEZ LE MÊME ÉDITEUR

psychologie, santé

MARGARET NOFZIGER, Une méthode coordonnée de planification naturelle des naissances................$5.95
JONATHAN FREEDMAN, Les gens heureux..................9.95
RONA BARRETT, Soyez plus attrayante pour mieux séduire... 8.95

spiritualité, ésotérisme

ALLAN KARDEC, Le livre des esprits.......................9.95
ALLAN KARDEC, Le livre des médiums....................9.95
FRANÇOISE AMELAIN, Le passé, porte ouverte sur l'avenir.... 6.95
NADIA KOSKA, Votre avenir par l'astrologie et la numérologie.......................................6.95

biographies

MAURICE ZOLOTOW, John Wayne ou l'épopée du courage.... 9.95
ANNE EDWARDS, La vie déchirante de Vivien Leigh.........9.95
GEORGES DEBOT, Martine Carol ou la vie de Martine chérie...9.95

nouvelles fantastiques

DANIEL SERNINE, Légendes du vieux manoir..............5.95

romans

MAURICE MÉTRAL, L'enfant refusé.......................6.95
MAURICE MÉTRAL, Le temps des regrets..................6.95
MAURICE MÉTRAL, Tant que nous vivrons.................6.95
MARIE-CLAUDE B. TREMBLAY, Mon ami Hugues...........6.95
MARIE-CLAUDE B. TREMBLAY, Parmi les feuilles mortes......7.95
GEORGES OHNET, Le bonheur ne s'achète pas..............6.95
GEORGES OHNET, Un amour impossible...................6.95
GEORGES OHNET, Le maître de forges....................6.95
PAUL JAVOR, Pat et son maître..........................5.95
MARIE-THÉRÈSE GORNAS, Un parfum d'espérance.........6.95
GEORGE SAND, La petite Fadette.........................5.95
Mme DE LAFAYETTE, La princesse de Clèves...............5.95
ADOLPHE D'ENNERY, Louise et Henriette (tome I)...........6.95
ADOLPHE D'ENNERY, L'aube du bonheur (tome II).........4.95
GLENNA FINLEY, Le repaire de l'amour...................7.95
FRANÇOISE FERRIÉ, L'accident d'amour..................6.95

LES NOUVELLES
BASES DU MARIAGE

NENA O'NEILL

LES NOUVELLES BASES DU MARIAGE

PRESSES SÉLECT LTÉE
1555 Ouest, rue de Louvain
Montréal, Qué.

Dans certains cas, les noms ou citations figurant dans le texte ont été changés.

Les textes cités de Jeff Greenfield, au chapitre 13, sont tirés de son article paru dans *Glamour*, en septembre 1976, "What I Learned About Myself from My Three Years Old Daughter". Copyright © 1976, Jeff Greenfield. Reproduits avec l'autorisation de The Sterling Lord Agency, Inc.

Les textes cités de Robert Seidenberg, au chapitre 15, sont tirés de son ouvrage "Marriage in Life and Literature". Copyright © 1970. Reproduits avec l'autorisation du Philosophical Library.

Dépôt légal :
Bibliothèque Nationale du Québec
Bibliothèque Nationale du Canada
Premier trimestre 1980

Titre original : The Marriage Permise

ISBN : 2-89132-230-4

SOMMAIRE

Préface   9
1. Début   13
2. Changements   18
3. Le mariage, fondement de la famille   27
4. Noces d'or   44
5. La maison du mariage   50
6. L'intimité conjugale   60
7. Primauté du conjoint   76
8. Le réseau familial   86
9. Valeur du temps et de la durée dans le mariage   95
10. Responsabilité au sein du couple   95
11. En route   124
12. Hommes et femmes   143
13. Sur le front domestique   160
14. Qu'est-il advenu à la sexualité conjugale?   190
15. Fidélité conjugale   210
16. Pour que dure le mariage   231

Préface

Au cours des immenses bouleversements qui ont affecté ces dernières décades, la stabilité du mariage, de l'amour et des engagements, s'est trouvée remise en question. Il était pratiquement inévitable que l'institution matrimoniale fût en butte aux critiques de toutes sortes, inspirât scepticisme et désabusement. En période de crise nous sommes absolument obligés de changer de comportements; il nous faut réviser les valeurs de base de notre vie, de notre propre personnalité, les principes qui régissaient jusqu'alors nos rapports avec le monde, avec autrui; enfin notre conception du mariage.

Changement n'est pas synonyme de perte; il s'agit bien plutôt de modifier notre échelle de valeurs. Il en résulte une combinaison inattendue où se mêlent le vieux et le neuf et qui nous incite à affronter avec dynamisme la réalité actuelle. Maintenant que nous avons franchi l'étape intermédiaire, nous découvrons que nous sommes en mesure de jeter sur le mariage un regard beaucoup plus réaliste. S'il nous a fallu en chemin abandonner certaines idées, certains mythes; nous nous apercevons néanmoins

9

que demeurent des principes traditionnels et qu'ils nous sont encore plus précieux que jadis.

Cet ouvrage m'a donné l'occasion de réviser et de réaffirmer quelques constantes du mariage. J'y expose mes idées et beaucoup de mes expériences personnelles chaque fois que celles-ci me semblent utiles pour illustrer mon point de vue. J'ai renoncé pour cette fois à ma collaboration habituelle aux travaux de recherche et de rédaction de mon mari, George. Il y a cinq ans, quand nous avons écrit notre premier livre, George et moi, nous exprimions les désirs et les espoirs d'hommes et de femmes pris dans le flux des idées nouvelles. Le mariage ne pouvait plus se vivre d'une seule façon. "Open Marriage"* correspond à ce qu'était et est encore notre vision de ce qu'il peut représenter idéalement dans un monde qui change: deux êtres qui mettent en commun leur personnalité profonde pour accomplir un certain itinéraire, au cours duquel chacun est appelé à évoluer et à croître au sein d'une relation d'égalité, où l'une et l'autre individualité contribuent à la fois à l'unité et à l'enrichissement intérieur du couple. Nous pensions et pensons encore que, dans l'avenir, un mariage n'est appelé à durer que s'il existe entre les époux un puissant courant émotionnel, un constant souci de l'autre et une adaptabilité au changement.

Dans "Shifting Gears"** nous avons étudié à quelles conditions l'individu devient capable d'affronter sa propre évolution, ses crises, et comment il peut parvenir à s'assumer, tout en devenant plus généreux dans ses rapports avec autrui.

Depuis, le mariage a beaucoup évolué et il y a une grande

---

*A paru en français aux Presses Sélect (1976) sous le titre "mariage Open". (N.d.T.)

** A paru en français aux Presses Select (1977) sous le titre "Changez votre Vie" (N.d.T.)

diversité de sytles et de conceptions dans le domaine de la vie conjugale.

Cet ouvrage représente ma contribution à la recherche de ce qui constitue le fonds commun de tous ces mariages, si différente que soit leur physionomie: mariage traditionnel, mariage open ou compromis entre l'un et l'autre... Qu'il s'agisse de mon mariage, de celui de mes parents ou du vôtre... Il y a certaines constantes qui n'ont pas changé; il y a à la base de toute union conjugale certains principes communs.

Je me suis lancée pour l'écrire dans une grande aventure, un voyage fécond en découvertes grâce à des évènements, des rencontres avec des êtres qui ont pris une réelle importance dans ma vie ou dans l'élaboration de ce livre. Je tiens à exprimer ma gratitude la plus vive à mon mari George O'Neill dont j'apprécie et admire de plus en plus la compréhension, la profondeur de vues. Comment le remercierai-je assez pour son aide, sa patience, ses critiques et son dévouement? Que nous restions les meilleurs amis du monde et des époux unis, en dépit des perturbations que ce livre a apportées dans notre vie de foyer, ne me semble pas un fait miraculeux, mais un témoignage de cette solidarité à toute épreuve — dont je fais si grand cas dans ces pages — et aussi d'un amour mutuel toujours à la hauteur des circonstances. Que soient également remerciés tous ceux qui m'ont aidée de leur talent, de leur compétence, sans jamais mesurer leur temps ou leur peine: Herb Katz, mon éditeur, pour avoir accéléré la rédaction de ce livre et m'avoir consacré bien des heures d'entretien; Joyce Christmas, ma directrice littéraire, qui m'a aidée avec tant d'inlassable bonne humeur; Nina Beckwith, Haskell Hoffenberg, Nancy Abel, Esther Shefrin, David Shefrin, Pam Veley et Lynn Schwatz; Frances Kamm, pour tout le temps passé à la transcription

11

du manuscrit; tous ceux enfin qui, à un moment ou un autre, m'ont tendu une main secourable.

Je me garderais d'oublier ces couples et ces personnes avec qui je me suis entretenu et dont les pensées et les sentiments constituent la partie substantielle de mon livre. Je leur dois une gratitude toute particulière puisqu'ils ont su me faire partager leur expérience personnelle du mariage en ces temps troublés, avec ses tensions et ses richesses, dans l'amour et la compassion, l'espoir et la confiance. J'ai écrit ce livre dans l'espérance que d'autres y puiseront la foi en ces valeurs qui nous sont chères et que nous jugeons indispensables à toute relation entre humains. Le mariage demeure cette relation privilégiée qui nous offre la satisfaction profonde des expériences partagées avec l'autre dans l'amour et la fidélité, tout en nous faisant affronter les risques qui font de la vie une aventure exaltante.

1

Début

Je garde un souvenir très précis du jour de notre mariage. C'était pendant la guerre; George était mobilisé et nous dûmes profiter d'un week-end pour nous marier dans une petite église d'une ville inconnue. Nos parents s'étaient déplacés pour la circonstance, la fatigue du voyage n'atténuant pas le moins du monde leur joie. Nous étions très amoureux et très émus de cette démarche solennelle que nous allions faire; l'atmosphère d'un pays en guerre donnait encore plus de prix à chaque minute de cette journée.

Nous nous étions rencontrés sur les bancs de l'université de Columbia et étions tombés amoureux. Les évènements avaient rendu nos relations plutôt chaotiques: longs coups de téléphone entre les cours, interminables trajets dans des trains poussiéreux et bondés pour s'entrevoir quelques heures. Il fallait bien tenir compte de la guerre, grosse de séparations et de risques, mais cela ne nous empêchait pas de rêver à l'aventure idéale que nous voulions vivre ensemble. Nous l'avons vécue pendant trente-trois ans. Ces rêves, cet idéal, nous les avons modifiés... et ils nous ont changés aussi.

Quand nous nous sommes mariés, nous savions avec certitude que nous aurions des enfants et fonderions une famille. Au départ notre foi et nos traditions nous donnaient certains principes concernant le mariage et la vie de famille. Nous aurions trois enfants ou plus... finalement nous en avons eu quatre. Ce serait mon rôle de nourrir, consoler, veiller sur le foyer, protéger mari et enfants contre vents et marées. George gagnerait notre pain, serait notre défenseur et notre chef. Nous avions beau avoir certaines conceptions différentes de celles de la plupart des jeunes couples, nous ne songions pas à mettre en question le rôle essentiel du mari et de la femme, du père et de la mère.

Nous avions aussi en tête les images de grand amour et réussite sentimentale telles que nous les avaient transmises les films des années trente et quarante: Ginger Rogers et Fred Astaire faisant le tour du monde en dansant; Dorothy McGuire et Robert Young dans "The Enchanted Cottage"(1); Marie et Pierre Curie travaillant de concert dans le secret de leur laboratoire; et surtout Myrna Loy et William Powell dans le rôle de Nora et Nick dans le "Thin Man". (2) Pour la petite jeune fille du Middle West que j'étais, cela représentait l'idéal conjugal le plus sophistiqué! Ils n'étaient peut-être pas mus par une folle passion mais ils avaient de l'entrain, des rapports aisés et ils prenaient du bon temps.

Oui, ces images m'influencèrent ainsi que le thème du plaisir d'être ensemble cher aux films des années cinquante, période où nous entamions la seconde étape de notre mariage. En fait nous avons réalisé certains de nos rêves; nous avons vécu les aventures que nous escomptions; nous sommes allés dans des pays exotiques

---

(1)Titre français: Le cottage Enchanté.
(2) Titre français: L'Introuvable.

sans quitter nos enfants pour autant. Merveilleuse expérience mais qui avait ses rudes à-côtés! Il fallait réconcilier les châteaux en Espagne avec la nécessité du pain quotidien et les soins maternels: ainsi je me vois encore, un bébé accroché en bandoulière, tandis que je grimpais dans les ruines mexicaines à la recherche de tessons, tout en essayant d'empêcher notre rejeton de quatre ans d'aller folâtrer dans la jungle. L'aventure était passionnante et stimulante mais il fallait accepter du même coup les moments de découragement et de lassitude.

Compte tenu des périodes dures et des limitations que nous avons connues, nous gens des années quarante et cinquante, nous pouvons tout de même dire que cela a peut-être été plus facile pour nous que pour les jeunes d'aujourd'hui. Nos désirs étaient restreints, nos souhaits réalisables. Contrairement à Betty Friedan * (n'empêche que ses prophéties furent les bienvenues) je ne garde pas un mauvais souvenir des années où je fus le supporteur de mon mari, sa cuisinière en chef, la nounou de ses enfants, mais aussi sa collaboratrice. Bien des choses ont changé; la plupart d'entre nous étions trop occupés juste à vivre au jour le jour — à mettre des enfants au monde, ravauder les nippes, rafistoler les meubles bancals, dénicher un appartement, trouver l'argent pour régler les notes de dentiste et payer l'école — pour avoir le temps en plus de penser à quelque chose qui s'appelle "épanouissement personnel".

Du moins nous n'avions pas le loisir de pérorer à ce sujet. Nous nous mesurions à une existence où tout n'était pas rose mais cela m'empêchait pas que chaque responsabilité assumée, chaque décision prise, nous mûrissait.

Les nouvelles idées de croissance, de libération, de plus grands besoins, la modification des rôles respectifs, tous

---

*C.F. l'ouvrage de Betty Friedan The Feminine Mystique (New York W.W. Norton & Company 1963).

15

ces changements de mentalité m'ont incitée à jeter un regard neuf sur mon propre mariage et sur celui de mes contemporains. Les fondements mêmes de l'union conjugale semblaient se dérober sous nos pieds comme si un tremblement de terre avait détruit les temples et défiguré la cité. Dans tous les domaines les révolutions des dernières décades ont bouleversé les manières de penser et suscité des façons inédites de poser les problèmes et de les résoudre.

Si mon mariage n'avait eu des bases solides, un long passé d'expériences et de responsabilités partagées avec leur accompagnement de joies et d'aventures, si notre connaissance réciproque avait été plus superficielle, notre couple aurait moins bien résisté à la tempête. Je sais que cette période fut difficile à vivre avec ses perturbations, ses paradoxes, une certaine confusion dans les idées, mais le mariage continue à me dispenser des satisfactions et un bonheur qui compensent largement les efforts quotidiens et la lutte pour maintenir le cap. Qu'il se termine au bout de six ans, comme celui de mon fils, qu'il soit encore en vie après trente-trois ans comme le mien ou dure toute une existence comme ce fut le cas pour mes parents, le mariage est une sorte de creuset dans lequel se distille la quintessence de notre être et de nos expériences. Nos émotions les plus profondes, nos pulsions les plus primitives, nos faiblesses et nos forces intimes, tout est soumis à la fusion. Nous en sortons changés pour le meilleur ou pour le pire. Les créations de notre imagination, nos a priori du début, nos phantasmes, sont toujours présents et intimement liés aux réalités que nous vivons, à nos tempéraments, à notre passé, au présent et à la représentation que nous nous faisons de l'avenir.

Malgré l'abondante littérature dont nous disposons sur le sujet, malgré la connaissance psychologique diffusée par tous les moyens, malgré l'accent porté sur les nouveaux concepts de liberté, de croissance personnelle et d'épanouissement, le mariage demeure fondamentalement l'union de deux êtres qui tentent de s'aimer et de répondre aux besoins du conjoint. Même s'il ne dure pas, même s'il a connu de profonds changements, il nous offre cependant des possibilités qu'aucune autre sorte de relations ne nous donne. La question de la durée permanente du mariage est sans rapport avec celle de sa valeur intrinsèque. C'est son caractère spécifique, sa valeur ainsi que les possibilités particulières qu'il nous apporte, que j'ai essayé d'étudier dans une nouvelle perspective.

Il ne convient peut-être pas à tous les êtres ni ne doit obligatoirement durer toute une vie, telle est notre opinion aujourd'hui. Mais si nous choisissons de nous marier, sachons au moins les raisons de ce choix, pourquoi il a de la valeur et combien il peut rendre précieux le moindre de nos moments en dépit de ses imperfections.

2

Changements

Dans la vie de chacun d'entre nous survient un évènement aux répercussions émotionnelles intenses qui déclenche en notre for intérieur une tempête dont nous émergeons transformés, riches d'intuitions nouvelles et d'un système de valeurs revisé. L'échec du mariage de mon fils fut un évènement de cette sorte non seulement pour lui mais pour moi.

Le divorce de mon fils ne m'aurait peut-être pas autant perturbée si je n'avais passé les dix dernières années de mon existence à réfléchir au mariage, à l'étudier et à écrire ce que j'en pensais. Pendant que mon mari et moi préparions nos ouvrages "Open Marriage" et "Shifting Gears" * et au cours de la période qui a suivi leur parution, nous nous sommes entretenu avec des centaines de gens dans tous les Etats-Unis et à l'étranger. Nombreux également furent ceux qui nous écrivirent pour nous faire part avec franchise de leurs expériences et de leurs problèmes. Le mariage à une époque de mutation radicale devint le thème central de notre vie professionnelle, et

*A paru en français aux Presses Sélect (1976) sous le titre "Mariage Open" et de "Changez votre vie" (1977) (N.d.T.)

18

notre couple, une sorte d'incarnation des idées contemporaines sur la question. Il a fallu que je fusse frappée dans ma vie personnelle pour réaliser à quelle profondeur j'étais concernée par ce sujet.

Le jour où le mariage de mon fils prit fin, je me sentis abandonnée et pleine de rancune. Par dessus tout, je souffrais de le sentir aussi intensément malheureux. Je savais bien qu'il n'était pas à l'abri de tout reproche, que lui et sa femme essayaient de forger leur destin; je sais aussi que rien n'est simple dans le mariage; il n'y a pas de rupture où l'on puisse déterminer clairement les causes et les effets. Comment pourrait-on analyser avec précision une situation où s'enchevêtrent inextricablement rationnel et irrationnel? Sentant mon impuissance à consoler mon fils et à cicatriser sa plaie, j'étais envahie par un sentiment d'échec, de culpabilité, qui me paralysait et m'empêchait de réfléchir. Les problèmes de Michael et son angoisse me forcèrent à réviser mes propres valeurs, ma manière d'être dans mes relations avec mon mari, mon fils cadet, mes parents et moi-même.

Je me rappelai tout ce qui était arrivé pendant son enfance, les évènements, les problèmes, les bonnes périodes et aussi les inquiétudes. Il y a des choses qu'on aimerait changer si on pouvait repartir à zéro et des erreurs, commises en tant que parents, qu'on voudrait effacer. Aurions-nous pu nous comporter autrement, c'est-à-dire d'une façon plus satisfaisante? Ainsi cette histoire du cadeau d'anniversaire. C'était l'année de ses douze ans; il m'avait choisi avec amour des couteaux de table qu'il avait payés avec l'argent qu'il gagnait en livrant à domicile les commandes d'épicerie. Je lui dis qu'ils étaient fort jolis, le remerciai mais le grondai d'avoir dépensé de l'argent pour des objets dont nous pouvions très bien nous passer puis je lui donnai un sou comme on fait par superstition pour ce genre de cadeau. Quelle montagne de sous ne faudrait-il pas pour combler la dépression dans laquelle je me sens sombrer chaque fois que je pense à cet incident! Combien il m'eût été facile de ne pas le gronder, de le rendre fier de son choix, de lui montrer à quel point son attention me touchait... Mais j'étais obnubilée par mes principes et mes notions d'épargne; pourtant j'étais capable également de donner beaucoup de tendresse et d'affection.

J'ai essayai de donner à mes fils le goût de l'authenticité dans la vie et de la vérité dans leurs relations avec autrui ainsi que, le sens de l'honneur et je dois dire qu'à cet égard ils m'ont toujours donné entière satisfaction; ils m'ont comblée au fil des ans. Néanmoins le divorce de Michael m'a fait sentir que, vis à vis de lui, je devais avoir des torts; j'avais beau savoir que cette épreuve leur serait bénéfique, j'avais beaucoup de mal à en prendre mon parti.

Je m'étais dit que Michael et Anne resteraient toujours ensemble. Bien sûr, de nos jours rien ne dure éternellement mais ils avaient tant d'atouts dans leur jeu! Ils étaient si épris, si tendres, si pleins de sollicitude l'un à l'égard de l'autre. Michael est un beau garçon, sensible, doué, fort et ambitieux. Elle est belle, très douée aussi, limpide de regard et de coeur, absolument sans artifice. A l'instar de ses parents, nous aussi nous nous sommes demandé pourquoi ils voulaient se marier si vite, si jeunes. Mais qui de nous aurait pu leur jeter la pierre? Nous aussi nous nous sommes mariés jeunes. J'ai versé des larmes pendant la cérémonie en tenant bien serrée la main de mon époux. La mère de la mariée et moi avons ri lorsque nous nous sommes mutuellement essuyé nos larmes, femmes sentimentales dont le coeur regorgeait d'espoirs fous pour leurs enfants, avec cependant l'appréhension du long chemin qui s'ouvrait devant eux.

Quand il y a eu la rupture, je me suis dit que ce ne pouvait arriver... pas à mon fils, pas à moi. J'ai toujours cru que si on voulait vraiment que quelque chose marchât, cela marchait. De plus il n'y avait jamais eu de divorce ni dans ma famille ni dans celle de George. Par ci par là il y avait bien un oncle ou une tante coupable d'une petite fugue passagère, loin du droit chemin, mais qui était vite rentré au bercail; sans doute quelques séparations aussi mais dans l'ensemble une longue lignée de solides mariages rompus seulement par la mort.

Michael a toujours été capable de se débrouiller tout seul. Dès le départ il a su prendre son autonomie; enfant il se débrouillait pour trouver des jobs; il a découvert par ses propres moyens ce qui l'intéressait et ce qui était dans ses cordes. Une aventure à Mexico lui a servi de rite de passage; il est parvenu à la force du poignet à une très belle réussite professionnelle. C'est vraiment un garçon indépendant et pourtant son amour pour Anne semblait le rendre très dépendant d'elle. Leur maison irradiait l'amour; il émanait de ces deux êtres une merveilleuse chaleur. Peu après leur mariage ils nous avaient parlé très librement de leurs espoirs, de leurs joies, de leurs problèmes pour s'adapter, organiser leur vie de couple, harmoniser leurs carrières, leurs amitiés. Au fur et à mesure qu'ils furent aux prises avec de plus sérieuses difficultés, ils prirent de la distance par rapport à nous. Au début ce nous sembla l'attitude normale de jeunes mariés qui ont leur vie propre à mener. Au bout d'un certain temps, je sentis que quelque chose n'allait pas. On le devine toujours à mille impondérables. Mais il ne s'agissait plus de quelque chose qu'il était en mon pouvoir d'arranger pour Michael, comme autrefois quand je le prenais dans mes bras pour le consoler. Je ne pouvais lui dire non plus ce que j'avais appris d'expérience au cours de toutes mes années de vie conjugale et qui lui aurait peut-être été utile. Les parents ne doivent pas intervenir, n'est-ce pas? Je savais que le temps peut limer bien des aspérités; j'en avais

21

vu des exemples dans notre vie et chez d'autres. Mais Michael et Anne ne nous demandaient plus de conseils; ils ne nous parlaient plus d'eux.

Comment savoir ce qui était le meilleur pour lui, pour elle? Aurais-je pu l'aimer mieux, le rendre plus fort pour qu'il sût mieux affronter la souffrance, du jour où ils ont commencé à se faire mal? En quoi avions-nous échoué? George et moi avions eu entre les mains le sac à malices dont dispose tout un chacun sur cette terre; il en sort du bon, du mauvais, joies et adversités. Si notre mariage avait connu moins de traverses, en eût-il été meilleur? Je m'évertuai à faire repasser le film du passé, celui de ma vie personnelle et familiale, en m'interrogeant, en remettant tout en question. Un beau jour, je mis un terme à cette autocritique: il était temps de compter les points gagnants, de démêler dans la trame de nos vies les fils de qualité: amour, dévouement. Je compris que Michael devait apprendre de son côté à dominer son désarroi émotionnel comme je l'avais fait en matant mon sentiment de culpabilité et en essayant de voir les choses sous un angle rationnel plutôt qu'à travers le prisme déformant de la sensibilité.

Nous désirons en général valoir mieux que nos parents et que notre environnement familial. Cette aspiration peut être la source de beaucoup de bonnes choses et écarter le pire. Ainsi nous espérons tous témoigner dans notre union conjugale de plus de compréhension, de moins d'exigences, d'amour, que le couple de nos parents. Tout en subissant le traumatisme de la séparation d'avec Anne, Michael devait mener son combat intérieur. Un divorce douloureux vous fait sentir le poids de la solitude comme si l'on revivait l'abandon primordial. Moi aussi, en tant que parent, je me sentais abandonnée, rejetée, reléguée dans les ténèbres extérieures. Que nous voulions ou non intervenir dans la vie de nos enfants, nous y sommes présents par les habitudes, les attitudes qu'ils tiennent de nous, par les principes hérités sur le bien et le mal qui leur rappellent d'où ils viennent et quel chemin il leur reste à faire.

En s'acceptant mutuellement Anne et Michael avaient également accepté les parents qui les avaient nourris et formés et leur mariage avait uni les deux familles par un tissu serré. Le divorce l'a déchiré et nous sommes restés avec des lambeaux entre les mains au bord d'un précipice béant. C'en était fini de la richesse de tous ces liens, plus de ces vacances communes qui nous avaient apporté tant de jours heureux. Nous avons beau essayer de retrouver de nouvelles joies, il manque désormais quelque chose à nos vacances, nous souffrons des vides qui se sont creusés. Trop souvent il nous faut perdre quelque chose pour en apprécier la valeur et réaliser la place que cela tenait dans notre existence. Quand mon fils s'est marié, j'ai su qu'on l'aimait et l'appréciait et qu'il payait de retour; de ce fait je me suis sentie encore plus en sécurité. Lorsqu'il y a eu rupture, j'ai réagi avec la douleur, l'instinct de protection, le sentiment de culpabilité et la colère de n'importe quelle mère, en dépit de mes années d'étude et malgré l'objectivité professionnelle que je m'attribuais. Mais de ce fait je fus incitée à méditer encore plus sur la valeur du mariage. Je compris que ma frustration n'était pas provoquée uniquement par le chagrin de mon fils mais par le sentiment qu'à présent il manquait un certain ordre dans sa vie et aussi qu'il ne jouirait plus de cette chaude protection, de ce coude à coude familial, que vous donne le nid conjugal. Où trouver de par le monde semblable sécurité, pareil refuge au sein de la tourmente?

Un autre jeune homme récemment divorcé, qui nous écrivait de Californie, nous exprime à sa façon ce sentiment: en rentrant d'une réunion de l'Association "Parents without Partners"*, il venait de voir un couple

---

* Parents séparés (N.d.T.)

d'un certain âge, assis sous leur véranda éclairée; "ils ne parlaient pas; ils étaient simplement assis tous les deux à regarder passer piétons et voitures et à sentir la caresse de la douce brise nocturne. J'ai arrêté mon auto, saisi d'une folle nostalgie. J'aurais tant voulu m'asseoir là, près d'eux. Pourquoi une chose si simple est-elle pour nous hors de portée? Qu'est-ce qui nous empêche, nous divorcés, de jouir d'une pareille paix, d'une joie d'allure si humble? Est-ce si difficile pour qui y aspire de tout son être?''

Hélas! C'est fort difficile en vérité. Toutes nos bonnes intentions, nos ambitieuses perspectives, le sens aigu de nos besoins individuels, ne nous rendent pas la tâche aisée; je dirai même que cela nous la complique étrangement.

Mon fils et ma belle-fille possédaient tous les atouts nécessaires à un bon mariage pour notre temps; ils avaient été élevés dans un climat plus libéral, disposaient de beaucoup plus de connaissances de base en matière de psychologie et d'un plus haut niveau de vie que ma propre génération. Les principes, sur lesquels ils édifiaient leur vie personnelle et entendaient construire leur union, s'inspiraient de beaucoup de conceptions actuelles: égalité des sexes, respect de la personnalité de chacun, droit pour elle comme pour lui de faire carrière. En ce qui me concerne je partage ces idées, elles me paraissent d'une importance capitale, de nos jours, pour aborder le mariage.

Il faut reconnaître que le mariage est devenu de nos jours encore plus difficile. Michael et son épouse ne luttaient pas seulement pour mieux mettre en pratique l'égalité de rôles entre le mari et la femme et profiter en même temps de toute occasion d'épanouissement personnel; il leur fallait aussi expérimenter les données de base traditionnelles et vraies du mariage: l'appartenance l'un à l'autre, la vie au foyer, le réseau de relations familiales, avec toutes les limites et les obligations qu'elles comportent. Or nous vivons dans une société qui n'est plus stable, qui change constamment. Le rythme modéré d'évolution qu'ont connu les précédentes décades s'est vertigineusement accéléré. Ce qui a cours aujourd'hui aura disparu demain ou du moins sera modifié. Nous devons nous adapter à des réalités que nos parents ne pouvaient même pas imaginer. Nous sommes dans une époque de transition où il nous faut assimiler les authentiques gains du présent tout en n'abandonnant pas l'héritage du passé. Nous rejetons les contre-vérités que voudraient nous imposer les tenants d'un outrageux modernisme, les concepts qui ne nous paraissent pas cadrer avec la vie telle que nous la menons mais il faut parfois un travail de patient filtrage pour garder certains éléments dont nous pourrons tirer parti. La tâche est délicate.

Nous venons de franchir une étape où l'accent fut mis, comme jamais auparavant, sur la *personnalité,* la recherche du *moi,* de ce que *je* suis, de ce que *je* veux, de *mon* avenir, de *mes* besoins. La répercussion de cet état d'esprit s'est fait sentir sur l'idée qu'on se crée du mariage: le "nous" a rétrogradé puisque notre quête du "moi" est devenue primordiale. Dans les années soixante si agitées, beaucoup de gens en venaient à négliger l'aspect *"communion"* du mariage dans leurs efforts acharnés pour briser le noyau de "l'unité à tout prix". Dans notre hâte à corriger les défauts trop évidents des vieilles théories et pratiques d'autrefois, dans notre zèle à reviser les rôles respectifs des époux et à extirper les traditions jugées obscurantistes et contraignantes, nous avons une fois de plus jeté le bébé avec l'eau du bain.

Il me semble qu'actuellement nous faisons marche-arrière, non pour revenir aux antiques coercitions et pressions extérieures mais pour découvrir et apprécier ce que le mariage peut encore nous offrir sous son nouvel aspect. La liberté, ce mot-clé des années soixante, a une signification différente dans notre vie d'aujourd'hui. Personne ne peut être absolument libre, nous le savons bien; personne n'est habilité à nous "donner" la liberté. Mais nous sommes fondés à penser que personne ne nous ravira notre libre arbitre; dans le mariage, c'est librement que nous choisissons de devenir mari et femme, que nous acceptons les compromis inévitables qui peuvent entraîner une moindre liberté dans certains domaines, une plus grande dans d'autres. C'est librement que nous affrontons l'état d'interdépendance dans un contexte où nous savons que notre personnalité sera pleinement reconnue.

Il y a une autre raison qui explique le regain d'importance du mariage: il répond à une autre grande exigence de notre temps, le besoin de sécurité. Au fur et à mesure que le vieil ordre social cède la place au nouveau, nous prenons conscience que beaucoup des anciennes fondations du mariage tiennent encore bon et qu'elles constituent des assises solides pour nos constructions nouvelles.

3

Le mariage, fondement de la famille

Qu'il s'agisse d'une superproduction au son de Lohengrin, avec le champagne qui coule à flots, ou d'un court métrage bon marché dans le cadre d'un hôtel de ville ou encore d'une scène champêtre, pieds-nus dans un parc avec accompagnement de flok rock et dégustation de yoghourts glacés, le mariage débute par une cérémonie; la plus simple d'entre elles donne au mariage son sceau particulier.

Ginny et Hal avaient déjà vécu ensemble pendant quatre ans quand ils décidèrent, sur l'inspiration du moment, de se marier. Malgré leur croyance convaincue dans des relations absolument libres et gratuites, leur engagement solennel ne fut pas sans conséquences. Ecoutons-les:

Ginny: —"Je n'avais jamais pensé que cette petite cérémonie aurait de l'importance. On voit ça à la télévision, on a les photos des parents dans leur beau costume de mariés; on se dit pourquoi pas nous, on n'a pas pensé plus loin."

Hal: —"On avait toujours pensé qu'on passerait en vitesse devant le juge de paix ou quelqu'un d'autre. Nous étions ensemble depuis quatre ans quand Ginny m'a dit, un beau jour, qu'elle avait les alliances. Je ne pensais pas que ce serait particulièrement agréable mais vraiment j'ai trouvé ça très romanesque!"

Ginny: —"Il y avait juste le magistrat et deux concierges qui nous servaient de témoins; pourtant quand il a dit: "Voulez-vous pour toujours..." je ne sais plus très bien les mots mais j'ai eu envie de pleurer, je pouvais à peine parler. Je n'aurais jamais cru que ce serait aussi émouvant."

Hal: —"Nous étions là tous les deux, les mains derrière le dos, à nous faire de petits signes en cachette pour montrer que nous savions déjà de quoi il parlait. Nous avions déjà ce lien entre nous depuis longtemps."

Ginny: —"Oui mais il a exprimé dans ces quelques mots ce que nous avions déjà décidé de vivre. Il a su le dire sans faire de grandes phrases."

Ce qui s'était passé au cours de cette simple petite cérémonie allait bien plus loin que l'apposition de deux signatures au bas d'une feuille de papier. Selon les paroles de Hal: "Cela mettait noir sur blanc la chose spéciale que nous pouvions faire l'un pour l'autre. Nous savions que nous pouvions avoir des relations avec d'autres gens mais quoi qu'il arrive dans le futur, il y a une chose que je peux faire pour Ginny: lui donner cette assurance, prendre cet engagement." Et Ginny ajouta qu'elle se sentait "plus solide du fait du mariage. Je me suis engagée, je sais maintenant de quoi je parle quand je parle du lien entre Hal et moi."

Evidemment la cérémonie du mariage a pour elle la force de la tradition qui la fonde et le poids historique des paroles prononcées mais ce n'est pas tout; elle est importante aussi parce qu'à cette occasion nous prenons conscience personnellement que nous passons à un autre état de vie, que nous franchissons une nouvelle étape.

La cérémonie du mariage de Connie fut une tout autre affaire. Une fête splendide, robes longues, souper aux chandelles, fleurs et champagne; certains invités en parlent encore, dix ans après, comme d'une journée mémorable. Cette jeune femme a deux bébés, son mari mène une vie exténuante de médecin. Elle se rappelle: "Quand nous parlions mariage tous les deux, je ne me souciais absolument pas de la façon dont je serais vêtue mais aux yeux de Paul il fallait faire les choses bien. Mon père était du même avis. Je crois que les hommes n'ont pas à se battre tout le temps comme les femmes avec les réalités terre à terre, alors ils peuvent se permettre de se montrer plus romanesques. Cela m'était tout à fait égal de me marier ici ou là. Maintenant je pense que j'avais tort et je suis contente d'avoir eu un grand mariage. Il vaut mieux une cérémonie qui dure un certain temps qu'une à la sauvette; "Vous voulez-vous marier? O.K. ça y est!" On dirait qu'on passe son permis de conduire. Il faut qu'on sente que les règles sont changées et qu'on ne peut plus se permettre de se défiler. On a dit: "D'accord!", il faut que cela marche. On a besoin de quelque chose qui vous montre qu'il vient de se passer un évènement important et que cela est arrivé à des tas de gens. Il y a les paroles rituelles pour exprimer la situation."

Quelque chose arrive vraiment à chacun de nous et à nous deux ensemble quand nous nous marions. Ce "quelque chose" change du jour au lendemain, notre destinée, la façon dont nous nous regardons mutuellement la façon dont le monde nous regarde.

Judy, une jeune femme brillante et intelligente qui travaille dans une maison d'édition de livres scolaires, s'est mariée voici un an et demi "après avoir fait la navette deux ans entre nos deux appartements". En parlant de la cérémonie, elle dit: "Nous nous sommes engagés légalement et publiquement et cela a un sens, de prendre un engagement devant tous les autres. Cela me gêne de le dire mais je me sentais, avant, si peu en sécurité que d'avoir l'alliance au doigt me rassure sur nos rapports; le foyer est là qui nous réunira même si on fait des choses chacun de son côté."

Quand nous nous marions, nous franchissons le seuil d'une nouvelle maison —parfois littéralement— en tout cas nous abordons un nouveau statut. Ce n'est pas un hasard si le mariage juif traditionnel se fait sous un dais appelé chuppa; si les Russes ont une maison de mariage; si au Guatemala un long collier de filigrane - j'en possède un magnifique - est passé au cou des jeunes mariés, un pour les deux, afin de symboliser leur nouvelle position dans la vie. Dans certaines cultures primitives, le jeune couple s'abrite dans une hutte spécialement construite pour l'occasion, afin d'y consommer leur union. Je pense que les changements sociaux nous ont fait oublier l'importance de ces symboles et de leur signification. Les images du foyer et de la famille ont été incorporées par la tradition dans le rituel de la cérémonie du mariage. S'il nous vient d'un temps où celui-ci était vu surtout sous l'angle de la procréation, il peut être réinterprété de nos jours à la lumière de notre compréhension du couple considéré en soi comme une famille, chacun des époux ayant consciemment choisi la sécurité et les traditions de la vie familiale. La cérémonie est la célébration d'une création nouvelle à la fois en ce qui nous concerne et pour la société. Nous unissons nos personnes, le milieu dont nous sommes issus et qui nous a faits ce que nous sommes, notre destin, pour former une entité nouvelle qui mérite qu'on la regarde comme une famille, qu'il y ait des enfants ou non.

Elaine, mariée depuis bientôt deux ans, est une jeune femme moderne, qui s'était lancée dans une carrière très exigeante dont l'évolution fut rapide pendant les bouleversements des années soixante. Elle m'a confié: "Nous étions très attachés l'un à l'autre quand nous vivions ensemble mais il y a quelque chose de différent à partir du moment où l'on se marie. Je sens qu'il est ma famille. Bien sûr mes parents aussi constituent ma famille; pourtant quand je pense à ma famille proche, c'est de Ken qu'il s'agit. Avant de nous marier, il y avait 'sa famille' et 'ma famille'. Je me suis toujours vue comme la fille de ma mère et de mon père et soudain j'ai senti que Ken et moi nous formions notre propre famille, j'étais à la fois sa meilleure amie et son épouse, dans toute la merveilleuse acception du terme."

Il est aisé de reconnaître la nature intrinsèque du mariage comme créative d'une famille lorsqu'il y a des enfants, preuve concrète de notre union physique et spirituelle. Quand il n'y en a pas, c'est plus difficile. Aujourd'hui, bien que de plus en plus de couples choisissent de ne pas en avoir, quelques personnes persistent à croire qu'un mariage sans enfants est une aventure hasardeuse et frivole. Nous passons souvent à côté de la vérité en ne concevant pas que le mariage en lui-même est une forme d'engagement et un choix de vie. C'est ce qu'exprimait un bel homme d'une quarantaine d'années qui venait de se remarier: "Nous sommes une *famille* à deux. Nous n'avons pas voulu vivre simplement ensemble, nous avons voulu nous marier et pensons que nous constituons à nous seuls une famille. Je ne peux pas supporter que certains nous prennent pour deux individus embarqués dans une simple aventure. Nous avons décidé de ne pas avoir d'enfants mais cela n'enlève aucune force, aucune signification à notre engagement mutuel."

La conviction que leur mariage à lui seul constitue une famille est partagée également par les couples qui projettent d'avoir des enfants plus tard. Leur relation n'est pas dans les limbes en attendant; les années passées tous les deux seuls peuvent affirmer leur union et bâtir leur futur.

Tim et Mary ont célébré récemment leur quatrième anniversaire de mariage. Ils sont tous deux issus d'un

31

milieu ouvrier de Boston et se sont rencontrés à l'université. Mary a poursuivi ses études afin de passer une licence d'enseignement; elle prépare ses examens le soir, tout en enseignant pendant la journée, tandis que Tim commence à réussir dans sa petite agence de publicité. Il m'a dit: "J'aimerais bien avoir trois ou quatre enfants, ma femme aussi, mais ce serait de la folie pure d'en avoir un maintenant, avant que ma situation dans les affaires soit vraiment solide. Mary et moi n'envisageons pas de mener une vie minable, financièrement parlant, pour le plaisir d'avoir un enfant. Je suis marié depuis quatre ans seulement, nous avons bien profité de ces quatre ans où nous vivions tous les deux seuls et nous ne connaîtrons plus jamais ça quand nous aurons des gosses. Il fallait apprendre à se connaître et à présent nous nous entendons très bien: c'est du solide. Un gosse, ça va grignoter un peu de cette vie ensemble, mais je suis prêt à l'accepter. De toute façon, même si nous n'avons jamais d'enfants, nous ne restons pas les mains vides. Le mariage, ça vous donne une famille; vous voyez, ma femme, c'est ma seule famille. Pour Thanksgiving, nous sommes allés chez mes parents. Ma mère était là, mon père, mon frère, ma soeur et mon beau-frère avec leurs deux gosses. Nous avons passé une bonne journée, une journée familiale, mais ce n'était plus la même chose que dans mon enfance. Autrefois c'était ma famille; maintenant c'est ma famille "en plus". Ma première famille, c'est ma femme et moi. Et j'étais ravi de rentrer à la maison, mon vrai foyer.

Marisa et Jon ont travaillé pendant huit ans avant d'avoir des enfants. Jon est vendeur et Marisa, secrétaire. Maintenant qu'ils ont deux petites filles, Marisa dit: "Nous sommes surpris tous les deux de voir que des enfants ajoutent vraiment quelque chose au mariage, au lieu de lui en enlever. Je ne sais pas pourquoi, nous pensions que cela se passerait autrement mais jamais nous

32

n'imaginions que ce serait aussi important. Jon a toujours voulu avoir des enfants, c'est même une des raisons pour lesquelles il m'a épousée; moi, je voyais ça plutôt comme une option possible... jusqu'à ce que j'aie un bébé de six mois. Je me suis dit à ce moment-là que les enfants sont vraiment très importants; c'est ce que nous avons fait de mieux; nous aurions pu nous y mettre un peu plus tôt mais je n'en aurais pas pris conscience de cette façon."

Maintenant que les enfants n'en font plus obligatoirement partie, comment sous d'autres aspects, le mariage contemporain heurte-t-il les conceptions classiques? La vision la plus traditionnelle implique une résidence commune, des obligations réciproques dans les domaines économique et sexuel, des devoirs parentaux, la division du travail, un noyau de relations primaires et tout un réseau de relations entre les familles au sens large du terme. Somme toute, les mariages de nos jours prennent en compte la plupart de ces éléments à l'exception de quelques modifications importantes qui reflètent les changements sociaux et économiques de ces dernières années. Par exemple: même si les époux inversent les rôles traditionnels, partagent ou échangent certaines tâches, ils se répartissent tout de même le travail dans la recherche de la plus grande efficacité. De nombreux couples dont le mari et la femme font carrière tous les deux vivent séparément, parfois à grande distance, pour se retrouver par périodes seulement; donc, pas question pour eux d'avoir une résidence commune tout le temps. Le plus grand changement affecte la base économique du mariage. Le nombre croissant de femmes au travail fait que les conjoints sont moins dépendants économiquement, plus interdépendants.

Vivre ensemble *

Pour de multiples raisons d'ordre financier, légal ou personnel, de plus en plus d'individus et des individus de toute sorte — jeunes, vieux, étudiants d'université, célibataires endurcis, divorcés — décident de vivre ensemble au lieu de se marier. Ils veulent faire l'expérience, ne sont pas sûrs de l'avenir, ont raté une précédente union ou ont vu trop de couples se disputer et endurer les souffrances du divorce ou de la séparation. En fait, ils ont peur de s'engager dans le mariage et se demandent si le jeu en vaut vraiment la chandelle. Elaine dont le mari a déjà été marié une fois remarque: "Quand les gens ont peur, ils s'expriment un peu cavalièrement, ainsi lorsqu'on nous a demandé quel morceau de musique nous désirions pendant la cérémonie, Ken a dit: Si on jouait 'Cette fois-ci c'est peut-être la bonne'. Je me suis demandé s'il était bien décidé, s'il avait encore des craintes. Il m'avait dit que l'expérience de son précédent mariage ne le gênait plus; peut-être avait-il tout de même des appréhensions, bien que cette fois-ci il eût trente trois ans et fît son choix en pleine conscience. Il lui arrivait encore de dire: 'Avons-nous raison de prendre cette décision? Nous sommes si heureux tous les deux de cette façon, pourquoi nous marier?"

Il n'y a pas que la crainte d'engagement par devant la loi qui fasse préférer la cohabitation au mariage en bonne et due forme.Diane, mère de deux enfants, pense "qu'il n'y a nul besoin de contrat pour une liaison sans enfants. La

---

* Les recherches du Dr Elenaor D. Macklin sur le sujet ont puissamment contribué à éclairer notre vision de la question; voir à ce sujet: The Cohabitation Research Newletter notes recueillies et éditées par le Dr Elenaor D. Macklin,Dept of Psychology, State University College, Oswego, N.Y. 131126, ouvrage distribué sous les auspices de Groves Conference on Marriage and Family.

seule utilité du contrat est de protéger les enfants; dans ce cas je trouve cela absolument justifié; le mariage est nécessaire pour les enfants."

Bien des gens sont de l'avis de Diane: pourquoi se marier si on ne veut pas avoir d'enfants? Ils sont la raison d'être du mariage. Nous venons de voir qu'une partie de l'opinion en juge différemment; on se marie, qu'on veuille ou non des enfants. Je crois que nous sommes nombreux à souhaiter bénéficier de la structure et des avantages du mariage, quelle que soit notre attitude à l'égard des enfants et sans préjuger du style de relations matrimoniales que nous adopterons. Je crois même que certains en ont absolument besoin pour pouvoir organiser leur existence.

On ne peut nier cependant que, de nos jours, les frontières entre la vie ensemble et la vie dans le mariage sont de plus en plus estompées; elles se déplacent comme les patrons glissant sur du taffetas moiré. La confusion entre les deux naît pour une part de l'attitude des parents qui essaient, coûte que coûte, de se convaincre que leurs enfants vivant ensemble sont quasiment mariés. Il faut dire qu'apparemment il n'y a pas grande différence. Nous les voyons à l'oeuvre, arrangeant leur home, achetant des meubles, fidèles l'un à l'autre, ayant même des enfants. Ce sont des couples qui prennent très au sérieux leur relation à deux. A une époque moins libérale, on les aurait regardés comme des objets de scandale. De nos jours, ils sont beaucoup mieux acceptés.

Sally et Stan ont vécu ensemble plus de sept ans, dès leurs années d'université. Cela a débuté comme une liaison occasionnelle mais petit à petit, ils sont devenus de plus en plus attachés l'un à l'autre, si fait que rien ne peut plus les distinguer des jeunes couples mariés qui vivent dans la petite ville du Connecticut où ils viennent d'acheter une maison. Sally parle de leurs rapports en ces termes: "Initialement quand j'ai commencé à vivre avec Stan, je pensais manifester ainsi certaines de mes idées; je ne voulais pas accepter certains préjugés sociaux mais je n'ai plus du tout le même état d'esprit. Je ne dédaigne pas les gens qui vont se marier ou qui le sont déjà, mais, en ce qui me concerne, je ne vois pas pourquoi je ferais cette démarche; je me considère comme mariée; la seule différence c'est que notre union n'est pas légale. Mes parents en ont pris leur parti mais il a fallu du temps. Maintenant je peux dormir dans le même lit que Stan quand nous séjournons chez eux. La dernière fois, ma mère a dit: "C'est comme s'il était vraiment notre gendre." Pourtant, ils préfèreraient nous voir mariés pour le qu'en dira-t-on. Cela ne les empêche pas de comprendre qu'en ce qui touche aux sentiments profonds et aux intentions, je suis exactement comme une femme mariée, c'est vrai."

Les couples comme Sally et Stan ne semblent pas avoir besoin du support de la cérémonie. Pour eux, la cohabitation dans cet esprit les satisfait et les épanouit; ils y trouvent une liberté de mouvement et une stimulation qu'aucun autre genre de relations ne leur donne. Pour les uns ce peut être une étape constructive qui les mènera jusqu'au mariage, en leur donnant le temps d'expérimenter, d'apprendre à se connaître, en ménageant une transition entre célibat et mariage. Pour les autres, tels que Sally et Stan, c'est un mode de vie destiné à durer et qui a sa valeur intrinsèque. Pourtant les couples qui ont vécu depuis longtemps ensemble ont conscience d'une différence entre ces deux états de vie même s'ils se vantent d'avoir entre eux des relations d'une qualité analogue à celle des gens mariés, voire meilleure. Ils sentent que le mariage changerait quelque chose.

Mimi, réfléchissant à un mariage éventuel avec le jeune homme avec qui elle vit depuis quatre ans, se demande: "Je ne sais vraiment que faire; j'ai envie de me marier mais notre vie est si heureuse comme ça. Vous voulez que je vous

36

dise ce qui me tracasse? Eh bien, je me demande si le mariage va me changer ou va le changer lui. Notre façon de vivre actuelle nous convient si bien! J'ai peur de changer."

L'instinct de Mimi ne la trompe pas, il est vrai que le mariage nous *change,* ce qui est le cas pour toute relation étroite avec un autre être, nous en sortons transformés personnellement. Polly a vécu huit ans avec Mark, elle hésite devant le mariage, de crainte qu'il n'apporte un terme à l'évolution de leur relation, qu'elle cesse d'être dynamique. "Nous voulions nous marier, l'automne dernier, et puis nous avons reculé; nous avons senti qu'entre nous il fallait encore faire progresser certaines choses avant de faire la démarche définitive. De mon côté je m'inquiétais, j'avais peur que du coup nous ne cherchions plus à progresser. Voilà ce que je me suis demandé 'As-tu l'intention de passer le reste de ta vie avec Mark dans l'état actuel de vos rapports, point à la ligne, sans que rien ne bouge, tout à fait comme maintenant, dans les siècles des siècles, amen' et j'ai répondu non... et nous ne nous sommes pas mariés."

En fait les craintes exprimées par Polly et Mimi sont de même nature; elles sont dues à une méfiance légitime à l'égard de l'institution et des conséquences qu'elle peut avoir sur la relation du couple en la rendant plus *rigide.*

A la différence de Sally et de Stan qui sont très solidement attachés l'un à l'autre, il y a aussi beaucoup de gens qui ont adopté la cohabitation pour une simple aventure, une expérience temporaire. Telles sont les options que nous offre la plus grande liberté sexuelle qui règne de nos jours mais elles n'ont rien à voir avec le mariage. Vivre ensemble, pour cette catégorie de personnes, peut convenir parfaitement, leur donner le romanesque, le bonheur et le plaisir d'être ensemble, qu'elles souhaitent mais ne confondons pas ce style de vie avec le mariage. Ce n'est pas notre propos d'en parler dans ce livre.

Connie explique la différence qu'elle discerne entre le mariage et la cohabitation. "Il arrive à tous les couples de se mettre en colère de temps en temps; il faut que l'un fasse le premier pas et essaie d'arranger les choses. Quand vous êtes mariés vous ne pouvez pas vous payer le luxe de dire 'salut, je déménage' comme si vous viviez simplement ensemble car vous savez bien que le lendemain matin, il faudra réparer les pots cassés. Alors autant clore la discussion et faire la paix tout de suite avant que les choses n'aient été trop loin."

Charlie, lui, donne son avis sur la question en homme qui est marié depuis près de vingt ans: "Quand on est marié, on a des visées sur l'avenir; on fait des projets; on sait que tous les deux, d'ici, quelques années, on fera telle ou telle chose; on se dit qu'il faut faire quelque chose de bien de la vie qu'on a décidé de mener ensemble. Cela donne une sorte de structure à l'existence; chaque activité du moment prendra la couleur des rêves qu'on a pour plus tard. Pour ceux qui vivent ensemble, il y a souvent une certaine réticence à discuter de l'avenir et cela peut engendrer des drames, des conflits. Ils font des allusions timides, y aura-t-il un Noël, que feront-ils l'an prochain à l'époque des vacances? La vie des gens mariés est structurée, cela donne une certaine sécurité, une impression d'ordre et d'organisation. Les gens s'engagent parce qu'ils ont besoin de se couler dans un certain moule, de savoir qui ils sont quand ils se réveillent le matin."

Le mariage, en effet, implique qu'on construise ensemble son avenir. C'est un engagement par lequel on se promet d'avoir un futur en commun, tandis que, dans la plupart des cas, l'avenir des gens qui vivent ensemble n'ouvre sur rien de convenu; cela peut déboucher sur le terme de cette cohabitation, c'est-à-dire sur une séparation ou bien sur le mariage. Si les choses se gâtent, il y a toujours une porte de sortie.

Jeannie, mariée à Ray depuis douze ans, se rappelle combien les liens solennels du mariage les a aidés à surmonter de sérieuses difficultés dans les premières années de leur mariage et à accéder maintenant à une relation heureuse, mûrie et solide. "Le mariage est une institution; s'il ne l'était pas, je me retrouverais seule à présent. Cela nous a tenus ensemble pendant les sept premières années où nous aurions été entraînés chacun de notre côté... comme une sorte de colle qui nous attachait, bon gré mal gré, à l'autre, même quand Ray passait des nuits entières dehors et ne rentrait qu'à quatre heures du matin. Il pensait à tout autre chose qu'au mariage. Il avait un tas de problèmes à tirer au clair. Je me rappelle avoir pensé que si nous n'avions pas été mariés, il ne serait pas rentré du tout. C'aurait été une relation de plus avortée. La colle, l'institution, maintient ensemble autant de couples malheureux que de couples heureux. Il y a une sorte de lien; en ce qui nous concerne, cela nous a donné le temps de dénouer la situation.

Perspective commune

Bronislaw Malinowski, l'anthropologue, parle d'un lien quasi mystique* qui existerait entre les deux époux dans la plupart des sociétés. Les religions l'ont comparé à cette unité transcendante, à laquelle nous aspirons, avec la divinité. J'ai la conviction que ces liens mythiques existent et qu'on peut faire l'expérience de l'unité spirituelle. Amour et sollicitude aident à créer cette proximité que nous ressentons.

Nous assistons aux premières tentatives chez les jeunes mariés: ils commencent à faire l'apprentissage de cette

---

*La référence au lien quasi mystique se trouve dans l'ouvrage de Robert Briffault et Bronislaw Malinowski; "Marriage, Past and Present" édité et préfacé par M.F. Ashley Montagu.

unité dans le domaine pratique. Ils doivent tomber d'accord sur un style de vie, sur le lieu où ils vont vivre, sur le temps qu'ils passeront ensemble, sur ce qu'ils achèteront, amis qu'ils fréquenteront, sur la manière de partager les tâches. Ils doivent prendre d'innombrables décisions sur ce qui compte à leurs yeux en tant qu'individus et en tant que couple, sur ce qui leur paraît dangereux pour chacun et pour eux deux ensemble. Il leur faut considérer désormais leur identité sociale du même titre que leur identité personnelle. Les conjoints s'éduquent réciproquement et liment les aspérités de leurs caractères. Ils deviennent l'un vis à vis de l'autre, un miroir dans lequel se réfléchissent leurs actions privées et publiques. Ils partagent leurs connaissances, leurs milieux d'origine, leurs expériences, leurs goûts et leurs aversions.

"Jim s'attend à ce que j'essaie de faire de nouvelles expériences pour connaître certaines activités auxquelles je ne pensais même pas ou dont je n'avais pas envie. Je ne suis pas forcée d'aimer cela ou de continuer mais il faut que je fasse un effort sérieux. En ce moment, il voudrait faire du vol à voile, là j'ai dit que je ne l'accompagnerais pas, je n'ai pas envie de le voir se casser la figure mais cela ne signifie pas que je vais l'empêcher d'essayer, sinon cela voudrait dire que le jour de son mariage, il faut renoncer à tout ce que l'on a envie de faire, ce serait sacrifier sa personnalité. D'ailleurs, de mon côté, je l'entraîne aussi, je voudrais lui faire connaître des choses qu'il n'a jamais eu l'occasion de voir. Par exemple il n'avait pas l'habitude d'aller au théâtre tandis que mes parents m'ont toujours emmenée au spectacle, j'adore cela. Je l'ai emmené dans un théâtre d'avant-garde où il n'avait jamais mis les pieds. Maintenant je pense qu'il irait de lui-même sans moi si je ne suis pas libre, il a beaucoup apprécié."

Avec les années, après avoir traversé ensemble des myriades d'évènements, un couple est en possession de ses habitudes, de ses traditions, de ses rites. Toutes les expériences qu'ils ont faites tous deux, dans le domaine de la vie pratique et dans celui des sentiments, concourent à leur créer une psychologie bien à eux. Ils prennent des décisions en rapport avec leurs buts personnels et avec ceux qui leur sont communs; ils finissent par découvrir le projet qui est propre à leur couple. Cela n'empêche pas que chaque individualité demeure, avec ses richesses et aussi ses manques, contributions positives ou négatives à l'entité qu'est devenue leur association. En retour, celle-ci leur inspire des perspectives neuves pour leur devenir à chacun. Les époux se constituent un système de références communes en fusionnant les valeurs héritées de chacun de leurs milieux d'origine, chaque famille—mère, père, frères et soeurs—se considérant comme une unité par elle-même parce que ses membres ont souvent une vision du monde identique. Ce n'est pas uniquement leur tartan qui distingue un MacGregor d'un MacTavish mais aussi le regard original qu'il porte sur le monde et le comportement qui en résulte. Les perspectives du nouveau couple peuvent différer du tout au tout de celles des parents respectifs ou, au contraire, comme dans le cas de Diane et de Stephen, prendre confortablement appui sur les principes familiaux consciemment adoptés.

Diane:"Je ne crois pas que mon mariage soit si différent de celui de mes parents et le continuité dans notre cas est probablement plus grande que dans la majorité des familles modernes où les ruptures sont fréquentes."

Stephen: "La famille de Diane et la mienne se connaissent de longue date et même je connais sans doute mieux qu'elle certains membres de sa famille. Ce n'est pas seulement une question de connaissance réciproque; en fait nous appartenons au même milieu et nous avons été élevés de la même façon aussi nos réactions et nos attitudes sont-elles fort voisines."

41

Diane: "Nous nous étions mariés d'abord chacun de notre côté. Pour ma part, j'avais jeté mon dévolu sur un type très intellectuel, très artiste et j'avais été entraînée dans un mode de vie d'avant-garde qui ne me convenait pas follement bien. Quand je me suis remariée avec Stephen, j'avais réalisé que lui, je le comprenais bien, que son style de vie et de pensée m'était familier d'entrée de jeu. Au point où j'en étais, c'est ce qu'il me fallait. Les tensions inévitables qui surviennent de temps à autre ne m'empêchent pas d'être convaincue que je me suis engagée dans la bonne voie; je ne me tracasse plus à propos de mon mariage mais à propos de la tournure que prend ma vie personnelle et du but que je lui fixe."

Nous pouvons reconnaître la personnalité d'un couple à bien des signes visibles ou impondérables. Nous remarquons leur "aura". Ils ont un aspect et un comportement différent quand ils sont ensemble. Quand il s'agit de tout jeunes mariés, nous sentons les liens qui les unissent. Prenons l'exemple de Nancy; elle raconte: "Nous sommes allés à la bar mitzvah du fils d'un ami, la semaine dernière; une femme est venue nous trouver à la fin de la cérémonie et nous a demandé: "Ne seriez-vous pas des jeunes mariés?' 'Oui, ai-je répondu, cela fera trente-cinq semaines demain que nous nous sommes mariés.' Je l'ai questionnée pour savoir comment elle l'avait deviné et elle a dit simplement: 'J'ai senti quelque chose entre vous'. Je crois que c'est vrai, je sais que mon mari est mon ami, pas simplement au sens platonique. Nous avons conscience de partager un secret. Je sens que personne au monde ne sait ce qui se passe réellement entre nous, pourquoi nous rions et chuchotons tous les deux. En fait nous avons exactement la même façon de voir les choses."

L'amour conjugal en se développant devient cette

"solidarité patiente, diffuse"* que décrit l'ahthropologue David Schneider dans son étude sur les liens de parenté et le mariage en Amérique. "Patiente' car c'est un engagement qui dure; "diffuse" parce qu'elle ne se limite pas à un objectif précis ou à un comportement spécifique. La relation conjugale mérite ce terme de solidarité puisqu'elle permet à deux êtres de se soutenir, de s'aider, de se faire confiance et de coopérer.

Les idées partagées, la conformité des plans, l'atmosphère originale que crée chaque couple, c'est cet ensemble qui est symbolisé par le "nous" du mariage, entité distincte **du "je" et du "toi". Ajoutons que cette communion ne prive pas chaque époux de sa personnalité et ne la leur fait pas trahir. Bien au contraire, elle les enrichit à la fois sur le plan individuel et sur le plan communautaire.

---

*la référence à la solidarité diffuse se trouve dans l'ouvrage de David Schneider: American Kinship: A cultural Account (Englewood Cliffs N. P. Prentice Hall pp.52-53.)

**Une excellente analyse des interactions et des relations entre le Tu, le Moi et le Nous se trouve dans la conférence du Dr Max Grafinckle "Towards a Science of Couples" (Annual Conference of the National Conference on Family Relatins in New York City October 1976). On trouvera également d'intéressantes suggestions dans CoupleTherapy de Dr Gerald Walker Smith (New York: Macmillan Publishing Co Inc. 1973).

4

Noces d'or

La dernière fois que nous nous sommes trouvés tous réunis à la fois dans le même endroit à l'occasion d'une fête familiale, c'était pour les noces d'or de mes parents, il y a quatre ans. Nous avions envahi leur maison; on se sautait au cou; on parlait fort; les valises étaient disséminées un peu partout; le téléphone ne cessait de sonner; amis, tantes, oncles et cousins faisaient irruption sans crier gare; au milieu des rires et de l'agitation, c'était à qui raconterait les bons mots des enfants, leurs exploits ou les soucis qu'ils donnaient... récits entremêlés d'allusions à nos souvenirs d'enfance.

Mes deux frères, leurs épouses, George et moi, avions eu l'idée de cette fête et c'est nous qui financions et organisions les réjouissances: invitations, cérémonie, victuailles et gâteaux, musiciens et location de la salle. Quelle excitation et quelle joie nous avions ressenties dès les premiers préparatifs. Nous passions notre temps à téléphoner entre New York, l'Ohio et la Géorgie. Nous étions si heureux de pouvoir leur offrir cette célébration en témoignage d'amour et de gratitude pour tout ce qu'ils avaient fait pour nous.

Cinquante ans de vie commune... j'avais de la peine à réaliser qu'il s'était passé un si long laps de temps; ces annés s'étaient accumulées en douceur, tels de gros flocons couvrant le paysage familier, s'amoncelant en couches épaisses et moëlleuses: douces montagnes d'amour et de sollicitude avec parfois quelques plaques de glace: rigidités dues aux habitudes, au vieillissement.

En regard de leur mariage, de toutes ces années de mariage, je me mis à contempler les trente années de notre union à nous; je les feuilletai comme les pages d'un livre; certains chapitres meilleurs que d'autres, les uns passionnants de nouveauté pour nous deux; quelques-uns poignants, pleins d'angoisse et de tristesse... pages d'une douce intimité, pages excitantes, pages qui n'en finissent pas, pages énigmatiques... Mes parents avaient-ils connu pareille variété? Quelle signification prenaient pour eux ces cinquante ans de vie commune que nous nous apprêtions à fêter?

Années remplies d'occupations toutes simples, de routine coupée d'évènements qui sortent de l'ordinaire, de crises comme il y en a dans l'existence de chacun d'entre nous. Kilomètres de planchers astiqués, tonnes de repassage; journées interminables que mon père passait à son travail, rentrant au logis par la neige ou la canicule; innombrables pique-niques en automne et déjeûners dominicaux. Je me rappelle cette varicelle que nous avons eue tous les trois en même temps; l'accident de David quand il s'est cassé le bras à bicyclette... et le jour où à quatorze ans Jerry est rentré après avoir distribué ses journaux et ayant bu un coup de trop! Quelles chahuts! quels bons moments! Comme ils se sont fait du souci pour moi qui me mariais pendant la guerre... et également pour leurs deux fils quand ils ont été mobilisés. J'évoquai aussi leurs efforts pour nous inculquer une certaine discipline, les tourments dont nous avons été la cause; Maman nous chantait de vieux airs; nos parents nous encourageaient à bien travailler, à nous montrer loyaux et honnêtes dans nos rapports avec les autres, à assumer les conséquences de nos actes; je revois les moments où ils ont su s'effacer, le coeur lourd de nous laisser partir, et les instants, fugitifs mais précieux, d'intimité.

"Aujourd'hui vos amis, votre famille, et tout spécialement vos enfants, nous sommes réunis pour célébrer solennellement ces liens grâce auxquels nous avons trouvé protection, chaleur, communion humaine et spirituelle." L'émotion me saisit au début de la réception quand le brouhaha s'apaisa et que nous nous trouvâmes, mes frères et moi, face aux nombreux invités; je me mis à lire le petit discours que j'avais préparé en l'honneur de nos parents:

"Vos enfants vous rendent grâces de leur avoir donné la vie, de les avoir guidés et aidés à prendre leurs responsabilités, de leur avoir montré, par votre exemple, comment aimer les autres. Votre joie d'être unis nous a permis de grandir; la souffrance et les peines partagées nous ont appris à vivre et la fidélité à votre engagement nous permettra de croire toujours en la victoire de l'amour. Tous, enfants, famille, amis, nous vous saluons en l'honneur de ce demi-siècle de vie commune et vous adressons nos voeux de joyeuse fête et de nombreuses années à venir."

Voici que je les remerciais justement pour ce contre quoi j'avais combattu autrefois, pour ce contre quoi je m'étais rebellée: leur façon de vivre si stable que je trouvais leur manque de fantaisie déplorable; si monotone que je le jugeais assomante; je leur reprochais également de s'accrocher à des principes trop stricts. Or à présent c'est cette solidarité patiente, constante, entre eux deux dont je constatais l'influence bénéfique sur moi. Ces deux termes *"patiente"* et *"solidarité"* me permettaient d'entrevoir les multiples visages de l'amour et de l'engagement. En ce moment solennel, je les voyais avec les yeux d'une fille reconnaissante qui approchait de ses cinquante ans et était en mesure de comprendre par expérience ce que signifiaient l'amour conjugal et celui des parents. Si j'avais pu affronter pas mal de problèmes et de crises, c'est parce qu'ils m'avaient fait comprendre par leur exemple combien il était important de pouvoir toujours compter l'un sur l'autre, de tenir bon.

Ce n'était pas seulement mes parents mais un couple que j'essayais d'imaginer le jour de leur mariage, devant l'autel de la petite église perchée sur la montagne, non loin de leur ferme en Pennsylvanie. Eux aussi avaient été de jeunes amoureux aux yeux brillants: mon père avec ses cheveux d'un noir de jais et une petite moustache bien taillée; ma mère mince et ravissante avec ses tresses auburn. Cinquante ans derrière eux et combien devant? Ce matin-là de bonne heure, quand ils avaient renouvelé leur engagement pendant la messe, j'aurais tant aimé entendre les cloches sonner à toute volée et voir la nef toute fleurie et brillamment éclairée tandis que les orgues résonneraient solennellement et qu'une assistance en vêtements du dimanche se presserait sur les bancs. Je m'y attendais presque en pénétrant dans l'église Ste Marthe où je m'étais agenouillée enfant mais elle était nue, dépouillée, et la cérémonie se déroula avec la même simplicité que leur vie. Ils étaient debout tous deux devant l'autel, ma mère un peu plus grassette maintenant, le pas moins assuré, les cheveux auburn courts et moins fournis cachés sous une perruque; mon père avec son dos encore bien droit mais les cheveux plus rares et grisonnants. Ils se tenaient la main; sa main à lui amputée de deux doigts à la suite d'un accident sur des lignes à haute tension. Seuls en haut des marches, ils répétaient les paroles de leur engagement avec le même sérieux et la même foi que cinquante ans plus tôt, sous les yeux émus de leur fille, de leurs fils, parents et amis. Non, ils n'étaient pas seuls devant l'autel; toutes les années qu'ils avaient vécues ensemble étaient là autour d'eux, compagnie plus intime que n'importe quelle assistance en fête.

Quand j'eus fini mon petit discours, je les regardai. Papa tiré à quatre épingles avec son beau noeud de cravate, Maman dans sa robe d'un joli vert. J'aurais voulu me précipiter et les serrer dans mes bras avec la fougue d'un petit enfant puis je leur aurais épinglé sur la poitrine une médaille avec un somptueux flot de ruban. Ils méritaient plus que ces quelques mots d'admiration et de gratitude pour tant d'années de dévouement. J'ai réalisé quel grand privilège c'était, de pouvoir célébrer ces noces d'or avec eux; cela devient rare et le sera sans doute de plus en plus. Nous avons pris tant de plaisir à tout préparer, à nous retrouver réunis, à voir la famille entière mais il y avait plus encore: j'avais la nette impression de prendre le relais dans une course de fond. Nous, les trois enfants mariés, nous saisissions le flambeau transmis du fond des âges pour continuer à le porter. Suis-je trop sentimentale ou est-ce une réaction naturelle pour qui participe à des noces d'or? Moi c'est la seule dont j'aie l'expérience. Sachant combien fragile est le mariage et me rappelant que le nôtre avait connu, au su de mes parents, bien des ébranlements, bien des épreuves au cours des années, je me demandai où nous en serions d'ici, dix, vingt, cinquante ans. Mais cet instant de doute ne dura pas puisque j'avais là sous les yeux cet exemple de solidarité patiente, durable et amoureuse. J'acceptai d'être un coureur de fond et de prendre le relais, fidèle à la tradition.

Cela ne m'empêchait pas d'avoir claire conscience des différences entre leur union et la nôtre et des époques différentes que le destin nous avait données pour cadres de vie. Même si cette célébration de longévité dans le mariage m'encourageait, je n'en pensais pas moins à quel point les exigences d'aujourd'hui, égalité entre époux, développement individuel, affectaient mon union, celles de mes amis; nous avions à affronter les changements dans tous les domaines, la mobilité professionnelle, les média. Mes parents, eux, n'avaient pas connu au cours de leur existence les problèmes, les tensions que la vie contemporaine nous imposait; ils n'avaient pas été non plus tiraillés entre de multiples options. Pourtant eux aussi avaient dû surmonter obstacles et difficultés, je ne pouvais affirmer le contraire.

Je ne me suis jamais posé la question de savoir *pourquoi*, ils ont tenu bon, soutenus qu'ils étaient par les conventions, le sens du devoir et par leurs convictions religieuses. Le fait est qu'ils ont tenu. Evidemment il y avait cet amour entre eux mais n'était-ce pas aussi la routine qui maintenait leur union? Je leur en voulais presque de n'avoir jamais eu à remettre leur mariage en question; cette longue vie d'habitudes partagées les rendait si assurés, si persuadés que demain tout serait pareil à aujourd'hui. Vraiment nous vivions sur deux planètes différentes.

Quatre ans plus tard

Cette année quand nous sommes retournés chez eux, c'était tout différent et je compris qu'auparavant mon jugement avait été trop prompt, trop peu nuancé; je n'avais guère été perspicace et l'essentiel m'avait échappé. A présent, quatre ans après, je ne remarquais plus les différences mais les bases fondamentales que nous possédions en commun, les soubassements inébranlables communs à tous les mariages, le mien, celui de mes parents, de mes frères, de mes amis, quelles que fussent les différences de style de vie ou de comportement.

Je m'aperçois que Maman écoute la radio et tourne rarement le bouton de son poste de télévision. Elle me dit qu'elle ne voit presque plus d'un oeil et que seule une greffe de cornée y rémédierait. Elle ne veut pas en entendre parler, elle a eu déjà tant d'opérations. Je vois que Papa fait tout le travail dans la maison, le marché, la cuisine. Il me prend à part pour me recommander de ne rien dire si je remarque un peu de jaune d'oeuf sur une cuiller: "Tu comprends, ta mère, ne voit plus très clair." Il a modifié leur installation, transformant la salle à manger en chambre à coucher afin qu'elle n'ait plus à monter d'escalier. Il n'y a qu'à l'observer pour réaliser à quel point il veille sur elle. Sa sollicitude à son égard se manifeste de mille et une façons et il se charge volontiers de toutes les besognes matérielles. Depuis sa retraite, voici dix ans, ils ont eu la vie large financièrement: petits voyages pour venir voir leurs enfants et amis; hivers en Floride, nouvelles relations dans leur club de troisième âge; ils ont bien entretenu la maison, n'hésitant pas à lui apporter des améliorations. Mon mari et moi avions l'intention cette année de les inviter à venir en Europe avec nous pour voir notre fils au Portugal et ensuite réaliser le vieux rêve de mon père: voir Rome. J'avais si grande envie de lui donner cette joie: survoler en avion l'Atlantique et visiter cette partie du monde dont il était si curieux. Après tout, il n'a plus tellement d'années devant lui. Combien lui en reste-t-il pour jouir de l'infinie variété de la vie et faire des découvertes?

A présent je sais qu'il ne viendra pas, même si nous trouvons le moyen de résoudre le problème posé par Maman qu'on ne peut laisser seule. Mes frères seraient ravis de l'accueillir mais mon père n'ira pas en Europe, il ne visitera pas le Vatican. Je connais sa conscience; il ne veut pour rien au monde la quitter; elle est sous sa responsabilité; aucune merveilleuse occasion de voyage, aucune possibilité de réaliser le plus cher de ses rêves, ne lui fera renoncer à la présence de cet être qui le touche de si près. Comment pourrait-on envisager de passer une

50

portion d'existence sans celle qui vous est associée depuis plus de cinquante ans? Il ne serait pas à son aise, trouverait injuste de profiter sans elle d'un plaisir. Je parie que s'il acceptait de venir, il voudrait rentrer au bout d'une semaine. Quelle tristesse que ni l'un ni l'autre ne puisse venir!

Quand je regarde Maman, je suis angoissée de voir comme l'âge et la maladie l'ont handicapée. Cette femme que j'ai connue si pleine de vie, d'animation et à laquelle désormais tout un monde de sensations échappe. Elle n'en conviendrait pas; elle ne veut même pas mentionner ses craintes devant la cécité qui la menace. Elle dit: "Oh non! je ne peux pas aller en Europe, quelquefois je ne peux même plus aller à l'église. Bien sûr ton père peut y aller mais je ne veux pas quitter ma maison. Je ne veux pas aller chez David en Géorgie. Je pourrais peut-être rester ici à Akron avec Jerry et Joanne" mais elle prononce ces dernières paroles sans conviction. Elle n'a pas besoin de dire qu'elle est désolée de le priver de ce voyage; elle compte sur son abnégation et il ne la lui refuse pas. S'il sacrifie son rêve, ce n'est ni par peur de la culpabilité ni par sens du devoir, c'est par pur amour. Elle s'est tant occupée de lui, s'est dévouée corps et âme à la famille pendant les années dures, astiquant, cuisinant, repassant pour toute la maisonnée. Maintenant, c'est à son tour, à lui, de prendre le relais. Toute leur existence, ils ont été aux petits soins l'un pour l'autre, cela ne fait que continuer. On ne tient pas une comptabilité au jour le jour du "doit et avoir" quand il s'agit d'attentions et d'amour. Il faut toute une existence pour rééquilibrer les comptes!

La mélancolie que je ressens vient peut-être de mon point de vue personnel. Mes parents sont aux prises avec les problèmes du vieillissement, des soins mutuels, avec les handicaps et les faiblesses de l'âge. Mais ils se chérissent comme autrefois, avec les éventuelles chicaneries à propos de leurs péchés mignons, qu'ils connaissent si bien depuis le temps, et les gentils compliments et cette profonde vérité de rapports que seuls connaissent, me semble-t-il, les êtres qui vivent ensemble depuis de longues années.

Je discerne une touche d'héroïsme dans tous ces humbles actes d'amour de mon père, comme bien d'autres, il s'esclafferait si je le lui disais. Seule une caresse sur son bras ou une embrassade un peu plus longue que d'habitude, lui montre que je le comprends et l'admire. L'indignation m'envahit quand je pense aux féministes qui, systématiquement, cherchent à dévaloriser les hommes. En tant que femme, je n'ignore pas que les femmes ont été obligées de regimber, que notre vie était prise en mains sans que nous eussions notre mot à dire, que nos mariages confirmaient notre condition de subordination et que nos chances étaient minimes dans un monde fait par et pour les hommes. Ceci dit, il y a des hommes à la hauteur, qui savent aimer pleinement, qui renoncent à leurs rêves, tout comme le font les femmes, pour accomplir des tâches moins excitantes — mais assaisonnées de joie — à savoir: faire consciencieusement son métier et élever des enfants. Qui n'a renoncé à ses rêves? Qui a jamais pu les réaliser tous?

L'attitude de ma mère à la fois m'étonne et me réconforte. Elle lui dit de faire ce voyage mais sait pertinemment qu'il ne s'en ira pas. Elle n'a pas le moindre remords. Pourquoi en aurait-elle? La question de savoir ce qu'elle ferait à sa place ne l'effleure même pas. Elle ferait exactement le même choix. En dépit de ma tristesse, de mon amertume devant ces coups durs de la vie, je suis émerveillée, encouragée, par une telle preuve d'attachement. Je pense à ce vieil hippy qui a tout lâché, gagne-pain et famille, pour aller vivre dans une communauté d'artistes; à cette femme qui a plaqué foyer et enfants; au mari médecin d'une de mes amies qui l'a abandonnée le jour même où elle revenait chez elle après une mastectomie. Je me demande si ce que tous ces gens trouveront dans leur quête vaudra ce que j'admire chez mes parents.

"Le mariage, explique Malinowski*, nous soumet un des problèmes personnels les plus difficiles à résoudre dans la vie; le rêve le plus riche en émotions, le plus romantique de tous les rêves humains, doit être incarné dans une relation quotidienne et prosaïque. C'est une réalité qui débute en ouvrant la perspective du bonheur suprême et exige à la fin les sacrifices les plus altruistes et les plus sublimes tant de la part de l'homme que de la part de la femme."

En notant le contraste entre le chemin tout simple et droit qu'ont suivi mes parents, la main dans la main, avec nos vies fourmillant de choix, d'occasions multiples... et d'incertitudes, je comprends mieux les frustrations, les définitions différentes des mots sacrifices, devoir, et obligation, le désir fou de vivre plusieurs vies à la fois avant qu'il ne soit trop tard. L'individualité est précieuse — à la vérité irremplaçable — en tant qu'entité mais simplement égale en valeur aux unités qu'elle forme avec d'autres.

On n'attend plus de nous que nous nous sacrifiions totalement dans le mariage, quand cela menace notre dignité d'être humain. Personne n'est obligé de rester au sein d'une relation destructive, par exemple la femme battue par son mari; le mari humilié, écrasé par sa femme. Personne ne pense qu'une épouse doive s'immoler sur le bûcher funéraire de son mari, comme c'était la coutume autrefois en Inde. Aujourd'hui c'est considéré comme un acte barbare, une violation des droits de l'homme. Vus sous cet angle, les petits sacrifices que nous faisons entre conjoints aimants ne sont que de simples démonstrations

* La citation de Malinowski se trouve dans Briffault et Malinowski op. cit. p. 83

53

de sollicitude, des gages d'amour. Il y a des époques où le bien-être individuel devient inséparable du bien collectif, qu'il s'agisse de la société ou du mariage.

Le mariage de mes parents, la célébration des cinquante ans riches en souvenirs pour eux et pour nous, me remet en l'esprit que mariage et accomplissement d'une destinée ne vous sont pas offerts sur un plateau; il faut payer le prix: non pas se sacrifier mais aimer; non se tendre à coup d'efforts surhumains vers un impossible idéal mais se supporter dans la tendresse et la compréhension. Mes parents m'ont montré — quel précieux témoignage! — qu'on peut rester attaché l'un à l'autre tout au long de l'existence, que les vertus et valeurs cultivées dans le passé sont toujours vivantes et que, vaille que vaille, à force d'entr'aide, d'amour et de sollicitude, un couple peut atteindre à une dimension humaine et à un degré d'union conjugale qu'on n'aurait jamais pensés possibles.

Dans leur vie, ce qui est bon pour eux l'est *également* pour chacun car, bien qu'avec chaque choix nous devions sacrifier la possibilité d'agir autrement, en fin de compte nous atteignons à une plus grande liberté intérieure dans la sérénité d'une conscience en paix avec elle-même. Mes parents me renforcent dans la conviction qu'à leurs yeux l'amour conjugal compte plus que tout autre bien au monde. Leur amour a survécu à une succession d'incidents, de compromis; il est tissé de déceptions et de joies, de don et d'accueil, et les tient si étroitement unis que la mort elle-même ne pourra les séparer.

Aujourd'hui on voit d'un mauvais oeil ces liens serrés, cette dépendance mutuelle; on croit que le mariage est à blâmer puisqu'il est censé provoquer une pareille "aliénation". Que penser de la liberté, de l'individualité, du "moi"?

La réponse à ces questions me semble contenue dans cette constatation: nous avons abandonné beaucoup de structures traditionnelles et d'exigences propres au mariage — et après tout nos mariages existent dans un contexte différent de celui de mes parents — cependant nous n'avons pas pour autant renoncé au mariage. Son concept est souple, il peut s'adapter du nouveau "toi", au nouveau "je" puisqu'il est vécu par et pour "nous".

Je comprends à présent la pleine acception du mot "engagement", de cette durée à vivre ensemble qu'implique l'union conjugale. Je vois ce que signifie être la personne la plus importante pour un autre et avoir avec soi l'être que l'on tient pour le plus important au monde, au sein d'un contexte familial donné. Aucun de mes parents n'a perdu sa personnalité dans ce mariage dit "traditionnel". Je trouve qu'à mes yeux il a même renforcé leurs caractères distinctifs. Leur attachement à la famille et aux amis n'est que le prolongement de leur attachement réciproque. Leurs difficultés et tristesses font intimement partie de leur bonheur; elles ne lui enlèvent rien ni n'ajoutent rien. La vie ne nous distribue pas équitablement le bonheur; ce n'est pas quelque chose qui nous est dû; à chacun d'entre nous d'en faire une réalité vécue à notre manière personnelle.

5

La maison du mariage *

Je revins donc chez moi nourrie, rassurée, me sentant solidement rattachée à ces racines de mon passé, comprenant le lien authentique entre mon mariage et celui de mes parents. Nos vies sont différentes mais leurs fondements sont les mêmes.

Je me réjouissais d'être à la maison, dans mon ordre à moi, de retour dans l'existence que nous nous sommes construite, mon mari et moi: notre appartement, les livres, les vieux tapis mexicains, tous les objets qui nous entourent et qui symbolisent notre vie commune. Simone Weil** a écrit que l'ordre est le besoin le plus essentiel, le premier, de notre âme. Au sein du désordre, de la confusion, des tourbillons du monde actuel, il nous reste peu de choses susceptibles de conférer de l'ordre à notre existence. Le mariage en est une à mes yeux. Il a structuré ma vie, celle de mes parents, de mes frères, de mes vieux amis d'Akron et d'ailleurs, ainsi que celle des gens avec qui je suis amenée à m'entretenir de par ma profession.

* signe astrologique correspondant à la maison 7 (N.d.T.)
**Simone Weil "L'Enracinement" Gallimard 1949 (N.d.T.)

Evidemment ce n'est pas le seul moyen de structurer une existence. Je sais que je pourrais vivre sans cela, George aussi. Nous avons chacun des ressources personnelles qui nous permettent de nous suffire sans chercher dans l'autre un complément de personnalité ou une raison de vivre. De plus en plus de personnes choisissent de ne pas se marier ou de se marier bien plus tard. Mais pour moi et pour des millions d'autres le mariage nous a donné dans le monde une place où nous nous sentons à notre aise.

Nous l'avons édifiée, cette Maison du Mariage, selon nos désirs, nos besoins, nos aptitudes. Mes parents l'ont construite sur un modèle traditionnel avec des pierres solides et des poutres grossièrement taillées, maison identique à celles des voisins. Bien des gens, à l'heure actuelle, se sentent à l'aise dans une telle demeure dessinée sur un plan hérité du passé, avec des pièces de dimensions prescrites et les clôtures délimitant bien le territoire de chacun. D'autres, et j'en suis, ont besoin de plus de liberté par rapport aux modèles existants; nous voulons certaines de nos pièces plus vastes et n'hésitons pas à enlever des murs ou à les déplacer; les meubles aussi nous aimons à en changer. Nous désirons être nos propres architectes et bâtir notre Maison du Mariage à notre idée. Certains voudront des maisons de verre, pleines de lumière et d'air. D'autres s'abriteront derrière de solides murs de brique ou de ciment. On choisira une façade à pignon, une maison à coupole, un appartement sur les toits ou une chaumière rustique environnée de fleurs. Il y a une multitude de choix possibles, peu importe que chacune de nos Maisons du Mariage diffère des autres; elles me semblent toutes avoir les fondements suivants:

—Primauté de chaque conjoint aux yeux de l'autre, chacun étant celui qui compte le plus.

—Intimité, je ne parle pas seulement d'intimité physique

mais de la façon dont nous nous ouvrons, dont nous nous révélons à notre conjoint.

—Réseau de relations familiales, liens créés par le mariage avec les autres familles dans le passé et l'avenir.

—Continuité dans le temps, sentiment qu'on construit une histoire ensemble dans la portion de durée qui nous est allouée. Façon dont nous en venons à nous connaître de mieux en mieux et en profondeur.

—Responsabilités à assumer conformément à l'engagement que nous avons pris en nous mariant, vis à vis de notre conjoint, de nous-même et de la famille que nous avons créée.

Certains couples peuvent mettre l'accent plutôt sur l'un ou l'autre de ces principes de base mais il les faut tous pour que la maison puisse tenir debout. Si vous en supprimez un complètement vous changez la relation, il ne s'agit plus d'une relation conjugale. Tels sont les soubassements sur lesquels mes parents ont assis leur union; ils leur paraissaient intangibles; mon père et ma mère leur ont fait confiance d'instinct. A notre époque nous avons encore intérêt à nous en inspirer; c'est ce qui est demeuré solide après les mutations radicales que nous avons connues.

Il y a beaucoup d'autres éléments qui entrent en ligne de compte dans des proportions variables: amour, interdépendance, loyauté, respect mutuel, loyauté, amitié. Le mode de combinaison de ces composantes diverses donne à chaque union son caractère original. Mais, selon moi, si une relation ne repose pas sur tous ces principes de base, absolument indispensables et qu'on peut appeler fondements du mariage, il n'y a pas de mariage.

Et les enfants? Ils sont certainement une partie importante de la plupart des mariages et à un moment ils en furent la base fondamentale. Si pour certains couples les enfants ne constituent pas un élément indispensable de leur vie ensemble, on peut dire que leur présence consolide l'engagement mutuel et accroît ses dimensions. Ils demeurent encore aujourd'hui une des plus grandes responsabilités des conjoints et une de leurs plus belles récompenses. Mais l'union des parents — si aucun des fondements précités ne vient à manquer — survit au départ des enfants.

Nous pouvons vivre notre engagement conjugal selon des modes différents et dans des perspectives qui ne se ressemblent pas, sans que les fondements du mariage en soient altérés. Il nous faut être conscients qu'ils sont indispensables pour bâtir une union solide, fructueuse, heureuse. Notre amour, notre confiance, pourront ainsi croître en sécurité et notre couple s'acheminera vers son plein épanouissement. Sachant sur quoi nous nous appuyons, nous pourrons réparer les accrocs, cimenter les lézardes ou, si besoin est, quitter sans remords une maison qui s'avère avoir perdu ses fondations. Si l'on en croit l'astrologie, une fois qu'un mariage est contracté, il est régi par la Maison no 7, la Maison du Mariage. En nous y installant, nous savons que notre destin va s'en trouver changé, non pas grâce à une influence céleste mais parce que nous avons choisi de vivre à deux notre existence terrestre.

6

L'intimité conjugale

"Le mariage fait penser à une île", dit un couple.

"Non, pas à une île, je dirais plutôt à une presqu'île, nous explique un autre, notre foyer a son originalité spécifique mais il est rattaché à quelque chose de plus vaste, communauté, société. Il faut tenir compte de ces deux éléments."

Troisième commentaire entendu: "Je pense que cela peut se comparer à un appartement situé dans un grand immeuble; on voit mieux dans cet exemple le jeu des interactions, cela n'empêche pas qu'on ait sa petite place tranquille et intime où se retirer."

A quoi comparer, en fait, cette réalité que nous fait expérimenter le mariage? Le plus souvent c'est quelque chose de chaudement familier comme notre home; on s'y sent à l'aise, en sécurité; on peut se montrer tel qu'on est et s'y épanouir. C'est l'espace de la plus grande intimité possible*

Une des grandes distinctions que l'on peut faire entre le

---

*Le livre qui m'a le plus éclairée dans l'étude des différents aspects de l'intimité de Murray S. Davis "Intimate Relations" (New York, The Free Press 1973).

mariage de mes parents et le mien est justement notre besoin actuel d'une plus grande intimité entre conjoints. Qui dit intimité englobe sous ce terme bien des aspects différents de la vie ensemble: on sait combien de morceaux de sucre il prend dans son café... qu'elle est mal lunée le matin pour les grands ébats sexuels etc. etc. De nos jours il y a encore plus, c'est à dire le dévoilement de notre personnalité la plus profonde, une ouverture mutuelle telle qu'on se connaît de mieux en mieux et que l'on vit en vraie communion.

Je pense que George et moi parlons davantage ensemble et vivons cette union conjugale à une profondeur ignorée de mes parents. Nous avons un plus grand besoin de connaissance véritable de l'autre pour pouvoir affronter les choix et les problèmes plus nombreux de notre existence. Je constate qu'il en est de même pour de multiples couples à notre époque et, tout en sachant que certains ne désirent pas une plus grande intimité, que certaines unions solides et stables s'en passent, j'en viens à croire que cette communion, qui va plus loin que le partage des réalités quotidiennes et que la fusion sexuelle, est un des facteurs les plus importants du mariage contemporain. Elle nous aide à affronter les changements, à évoluer, à remettre de l'ordre dans notre existence, à garder pleinement conscience de ce que notre unité transcende nos intérêts individuels.

Je me revois allongée près de George dans un pré du Dakota emmitouflée dans une couverture, contemplant l'immense ciel nocturne constellé d'étoiles. Nous nous tenions la main, tentant de nous laisser emporter dans un même élan d'intense admiration devant les merveilles de l'univers, de plonger ensemble dans la vision de la vie et de l'éternité et de revenir nous abriter dans notre chaud nid d'amour terrestre. Il y a des moments où l'on ne peut profiter ensemble d'un horizon aussi vaste. Le ciel est chargé de nuées ou bien c'est en nous que règne le brouillard; nous sommes trop pris par le quotidien. Ce rythme intermittent scande notre vie conjugale: ensemble ou séparés, recueillis ou dissipés, ballottés entre ciel et terre, réalités spirituelles et routines prosaïques. Oui, nous oscillons sans cesse entre les vastes espaces sidéraux et le petit nid intime que nous nous sommes construits.

Nous pouvons jeter sur le mariage un regard tout simple et parler de la façon dont nous partageons notre quotidien. Jane sait de quelle façon John tient sa fourchette et quel pied il chausse en premier. Il sait à quelle heure elle s'éveille le matin et comme elle déteste faire la lessive. Elle sait qu'il attend toujours la dernière minute pour faire ce qu'il a à faire et qu'il se fâche quand elle proteste. Nous connaissons l'orteil un peu tordu ou le grain de beauté sur le dos de notre conjoint. Nous parvenons à faire bien de petites observations sur le compte de l'autre à force de vivre côte à côte. Cela constitue l'intimité facile, rendue aisée et confortable par l'habitude, et cela aide à faire avancer la machine sans grincements. Une jeune femme nous dit:"Je ne pourrais jamais avoir le courage de me lever si mon mari ne m'apportait une petite tasse de café au lit." Un mari explique: "Nous sommes tous les deux des 'lève-tôt', nos rythmes de réveils sont les mêmes. C'est peut-être pour cette raison que nous nous entendons si bien."

Nous arrivons à savoir tant de choses sur l'autre que cela nous permet de mettre l'huile nécessaire dans les rouages de notre cohabitation quotidienne. Ainsi: "J'aime l'ordre et la discipline, pas elle. J'essuie la poussière, passe l'aspirateur et fais les vitres car je sais qu'elle a horreur de ce genre de besognes. Par contre, elle règle les notes et fait les comptes. Je m'en chargeais au début de notre mariage mais je m'énervais tellement qu'elle a pris la succession."

Les couples échangent aisément des informations à ce niveau d'intimité où il n'y a pas à redouter de décharges émotionnelles trop intenses. Ils partagent des préoccupations relatives aux évènements de la journée, les projets, victoires ou inquiétudes personnelles: "Nous sommes allés tous les deux au cinéma ce soir"... "Je suis vraiment ennuyée des échecs scolaires de Jimmy." "Tu ne peux pas savoir comme j'ai été heureux de voir débarquer **Charlie au bureau ce matin!**" A ce niveau peuvent exister affection et amour. Ils peuvent s'exprimer par ces petits moyens aussi bien que par les grands. Cette intimité-là est vraiment l'essence du mariage; de tout temps les couples se sont épanouis dans ce chaud compagnonnage exprimé dans les petites choses de la vie. Vous êtes à la maison, dans votre bonne robe de chambre, tant pis si votre chaussette est trouée!

Beaucoup de conjoints se contentent de ce degré d'intimité; qui ne présente aucun danger; pour de multiples raisons ils ont fait un pacte tacite selon lequel ils ne tenteront pas d'aller plus avant dans le partage. Parfois tôt, parfois tard, ils parviennent ainsi à un seuil qu'ils n'ont pas l'intention de dépasser. Pour certains d'entre eux, faire un pas plus avant serait trop risqué; ils aborderaient sur une terre nouvelle. Ils choisissent ainsi la voie facile et peuvent y cheminer pendant des années jusqu'à ce qu'ils trébuchent sur un écueil, rencontrent un véritable obstacle qui, pour être surmonté, demanderait de leur part à chacun un plus gros efforts que celui auxquel ils sont habitués. Si la routine familière est la seule chose qui leur reste, il y a des chances pour que s'installent l'ennui et un pénible sentiment de solitude.

Si l'un des éléments de vie conjugale est le partage des petites réalités quotidiennes, un autre, qui a toujours été associé au mariage, est l'intimité physique. On a toujours pensé que c'était l'intimité sexuelle qui l'emportait dans le mariage sur toute autre forme d'intimité et, en général, elle était liée à la procréation, ce qui n'empêche pas qu'elle ait signifié pour bien des gens amour et plaisir. La sexualité génitale était considérée comme l'obligation inhérente au mariage à la fois par la loi et par la morale. On avait besoin d'enfants à des fins économiques: main d'oeuvre assurant la survivance de la société, et à des fins culturelles: pour asseoir la stabilité des civilisations. Même quand le besoin économique disparut, les enfants demeurèrent la finalité du sexe. Dans toutes les sociétés, l'activité sexuelle a été protégée et circonscrite.

La révolution sexuelle de nos jours a montré que le sexe c'est aussi un moyen d'exprimer nos besoins émotionnels les plus profonds. Avec les progrès de la contraception et la nouvelle vision des rôles de l'homme et de la femme, ainsi que de leurs rapports, le sexe n'est plus restreint uniquement au mariage. Il est au-dedans et au-dedans et au-dehors. On en voit des images à la télévision, dans les livres, les magazines et la publicité. Les gens ont des expériences sexuelles avant le mariage, entre deux mariages, pendant et après; des aventures fugitives et des expériences sérieuses et durables. C'est encore le centre et la base du mariage; c'est le moyen d'expression le plus complet au service de notre amour, de la fusion du je et du toi dans une nouvelle réalité. Il peut déboucher aussi sur la création d'un nouvel être humain, associant à jamais deux êtres pour constituer un maillon de la chaîne génétique.

L'union sexuelle est une forme d'intimité manifestée, tangible. En tant qu'expression tout à fait de notre amour et de notre engagement mutuels, elle devient aussi le signe de notre fidèlité, de notre loyauté, tout au moins en théorie. En réalité c'est souvent le baromètre qui révèle où en est le couple, la qualité de sa relation. Notre état physique ou émotionnel la soumet à bien des variations. Elle peut témoigner de sentiments positifs ou négatifs, de stabilité ou de fluctuations, être ennuyeuse ou excitante, mélodie à une ou à deux voix. En raison même de ces variations, d'autres formes d'intimité physique peuvent prendre plus d'importance; notre tendresse et notre affection peuvent s'exprimer par des caresses, des baisers; on se tient par la taille ou par la main. Dans les mariages d'aujourd'hui le sexe n'est pas une fin en lui-même mais une des multiples expressions de l'intimité profonde qui nous permet de survivre et de nous développer.

Un jeune couple, qui a bien réfléchi à ces questions, s'en explique en ces termes:

Liz: "La sexualité ajoute quelque chose à notre relation; c'est ce qui la différencie des autres relations, amicales, par exemple. Pour certains couples, il n'y a pas cette différence mais pour nous, si. Je crois que le sexe ajoute beaucoup; vous donnez plus de vous-même alors vous attendez plus en retour."

Larry: "Je trouve que c'est une partie très importante et même fondamentale. Vous n'avez pas ce genre de relation avec vos amies ou collègues. C'est le véritable trait d'union dans notre relation. Il se passe infiniment plus de choses entre nous par ce biais qu'on ne peut s'en rendre compte. Souvent nous sommes terriblement tendus à cause des difficultés de l'existence et de la vie professionnelle; l'union sexuelle apporte un grand réconfort. Elle vous rend très proches l'un de l'autre et cela permet ensuite d'être plus tendre, plus conciliant et même cela facilite les échanges et les explications. Je ne veux pas dire par là que cela permette d'esquiver les problèmes. Il ne faut pas compter dessus pour vous réconcilier si pendant un temps vous êtes devenus étrangers l'un à l'autre. Non, il ne faut pas qu'il n'y ait de communication possible par ce biais."

Liz: "Je ne crois pas que le sexe puisse résoudre les problèmes fondamentaux d'un couple. Il ne doit pas se vivre toujours sérieusement; ce peut être aussi une évasion, un moment agréable. Je préfère pour ma part une bonne soirée passée à ça plutôt qu'une pièce de théâtre ratée ou qu'un mauvais film."

Les propos de Liz et de Larry sur ce thème illustrent bien les multiples besoins de notre nature et, de ce fait, les multiples réponses à découvrir. Par exemple un des besoins fondamentaux de l'être humain est celui d'être reconnu. Autrefois il y avait toute une série de relations qui permettait de le satisfaire. Dans une petite ville américaine on avait bien des occasions de contact, bien des possibilités de nouer des liens étroits en plus de ceux de la vie conjugale. Grâce à toutes ces rencontres au fil des jours, nous étions en possession d'une gamme d'images de nous-mêmes indispensables puisque, pour connaître la diversité de nos visages, il nous faut les voir réflétés dans les yeux d'autrui. Nous vivions près de notre famille, connaissions nos voisins, les commerçants, les clubs, le clergé; nos instituteurs avaient peut-être eu nos parents comme élèves. On pouvait ainsi passer son existence entière en un lieu familier où l'on connaissait tout le monde. Dans les grandes cités, le quartier reproduisait ce genre de voisinage où les liens étaient souvent dûs à la même origine ethnique, si fait que, dans un environnement de gratte-ciel et de grands magasins, on pouvait fort bien mener une vie de petite ville de province.

Aujourd'hui, ces aspects-là se modifient; nos vies sont cloisonnées, que nous habitions grandes villes ou petits bourgs; nous ne connaissons pas forcément nos voisins; nous savons bien que nos amis peuvent partir du jour au lendemain: voyez comme les grandes sociétés transfèrent journellement leurs cadres d'une extrémité du pays à l'autre, ne les laissant que peu d'années à la même place. Rappelez-vous qu'il suffit de la promesse d'un avancement ou d'une plus belle situation pour faire déménager en un jour une maisonnée entière. Les petits commerçants ferment boutique, remplacés par les gigantesques supermarchés si impersonnels. Nous transportons nos pénates dans une autre agglomération, laissant grands-parents, parents, tantes et oncles derrière nous pour nous retrouver au sein d'une communauté inconnue, sous des cieux nouveaux. Nous discernons de moins en moins de fils continus dans la trame de nos vies et n'établissons de contacts durables qu'avec de moins en moins de personnes. Actuellement — comme jamais auparavant — c'est au mariage qu'il appartient d'assouvir notre faim d'être connu, notre faim de continuité et de permanence.

C'est très bien de bavarder à table de choses et d'autres, d'exprimer notre intimité également par le sexe mais il nous faut davantage de nos jours. Nous avons besoin d'un mode de relation plus profond pour nous aider à vivre dans un monde où les liens sociaux sont si relâchés, les rapports si fluides. Notre vie de couple doit nous fournir ce refuge où il devient possible d'exprimer et de partager ses émotions, où l'on peut échanger ces aperçus si importants sur notre vie intérieure; c'est à cette conditon seulement que notre personnalité s'affermira pour affronter un univers dépersonnalisé et que se forgera notre unité conjugale. Il nous appartient de créer cette atmosphère favorable où la confiance que nous nous manifesterons l'un à l'autre nous donnera la liberté de nous montrer tels que nous sommes et nous encouragera à progresser. Oui, le mariage qui repose sur les solides bases de l'engagement mutuel, de la loyauté, du sens de la responsabilité, qui nous offre des occasions quotidiennes de chaude familiarité et ses moments d'union physique, est pour la plupart d'entre nous le hâvre où s'épanouit la seule véritable intimité.

Jeannie et Ray ont connu au cours de leur vie de couple bien des hauts et des bas mais il semble que les mauvaises périodes aient été victorieusement franchies grâce aux moments d'intimité qu'ils ont connus dès les premiers temps de leur mariage. "Ni Ray ni moi n'avons été très

67

heureux dans nos familles d'origine, explique Jeannie. Je suis bien consciente d'avoir eu des torts envers les miens et je ne me sens pas la conscience très à l'aise à cet égard. J'avais l'impression que ce qu'ils désiraient pour moi n'était pas ce qu'il me fallait. Ray avait un peu le même état d'esprit. Au fond, quand nous nous sommes mariés, nous sommes devenus chacun la vraie famille de l'autre, à la fois des aïeuls, des parents, etc. Il m'a permis de devenir moi-même; c'est le merveilleux côté de notre vie conjugale, cette possibilité que nous nous sommes donnée d'être nous-mêmes. Nous connaissons tout ce que nous voulions faire et être, tout ce que nous avons été; nous avons pu nous confier des secrets que nous n'avions jamais pu dire à personne. Il est le seul être au monde à qui je puisse dire ce que je ressens en toute vérité. Je me suis sentie terriblement seule jusqu'à ce que je le rencontre et, depuis, je n'ai plus jamais eu ce sentiment. Nous avons tant en commun que je suis perdue sans lui."

L'intimité est facile à établir quand on a des goûts en commun: les deux époux aiment le jazz et les promenades sous la pluie; ils adorent le ski et détestent la foule; quant à la glace à la pistache, ils ne peuvent la sentir ni l'un ni l'autre. Avoir des goûts communs constitue une solide base de relation; de là on peut essayer d'aller plus loin. Mais c'est une tout autre affaire quand il faut affronter les inévitables points de friction et les dissemblances; quand l'intimité doit subsister dans et malgré le conflit. Peut-on encore parler d'intimité quand nous nous jetons à la tête nos différences de caractère ou de point de vue? Y a-t-il encore intimité et amour entre nous dans les moments de colère, de peine, de dépression? Ce sont précisément ces crises, cette révélation de nos différences et son acceptation, difficultés à la fois désirables et redoutées, qui nous permettent de grandir et d'atteindre à la maturité. L'intimité à laquelle nous accédons, grâce à la façon dont nous avons su faire face au conflit et le surmonter, nous aidera à nous libérer de nos craintes, de nos doutes et de nos inhibitions, de notre colère; cela ne fait aucun doute. Quand nous connaissons mieux nos forces et nos faiblesses réciproques et que nous avons constaté combien les conflits nous faisaient grandir, nous nous sentons d'autant plus enclins à risquer d'autres confidences sur nous-mêmes.

Il faut nous accepter tous deux tels que nous sommes mais également avoir soif de connaître notre moi véritable et notre conjoint en profondeur. Ce n'est pas seulement la mise en commun périlleuse de nos plus secrètes pensées et réactions qui contribuera à resserrer ces liens d'intimité mais aussi le prix qu'on attachera à ces révélations avec la certitude, à long terme, que nous n'aurons jamais à regretter de nous être ainsi livrés.

"Ce qui m'effraie vraiment dans le mariage, me dit un jour une jeune mariée, c'est qu'on se sent si vulnérable, l'autre peut vous asséner un coup de poing dans les gencives. Mais au bout d'un certain temps on sait qu'on peut compter l'un sur l'autre; même si l'on fait quelque chose d'aberrant, l'autre continuera à vous aimer. On finit par découvrir, du moins telle est mon expérience, qu'on n'est pas si vulnérable que ça."

Aucune relation n'est telle qu'elle puisse supporter sans cesse le poids d'une totale intimité. En dépit de ma conviction que la plupart d'entre nous en auraient besoin et en retirerait un grand bénéfice, je sais qu'il faut aussi tenir compte de notre soif de solitude. Nous devons être en mesure d'explorer de notre côté, d'accroître nos connaissances et expériences en certains domaines qui nous intéressent. Chaque conjoint peut revenir enrichi et revouvelé vers l'autre.

Nous avons été bombardés récemment d'appels frénétiques à la liberté, à la franchise totale dans tous les rapports humains, et je crains que nous ayons perdu conscience d'une vérité importante, à savoir qu'une certaine courtoisie et un certain self-contrôle expriment beaucoup mieux notre amour ou notre affection qu'un parti pris de franchise à tout prix. Le docteur Yael Danielli,* un spécialiste de la thérapie familiale l'anlayse d'une façon fort pertinente: "Nous avons hélas perdu beaucoup de vieilles structures traditionnelles ainsi que certains principes régissant les rapports humains: que dire, que taire? Je crois qu'on est effrayé de cette liberté que l'on trouve un peu anarchique; on dit 'maintenant je peux faire ce que je veux donc je peux également dire tout'. Et c'est ce que les gens font en prétextant: 'je serai tout à fait franc avec toi.' Le résultat est qu'ils blessent sans vergogne autrui en pensant que la personne va encaisser le coup sans riposter. Cette franchise-là, je la redoute au point que si l'on me dit: 'je vais être franc avec toi,' je m'empresse de répondre: 'je t'en prie, n'en fais rien. Ne sois pas hypocrite mais aie des égards envers moi.' Ce qu'ils appellent franchise c'est de vous déclarer sans ambages: 'Quelle sale mine tu as aujourd'hui! Moi je préfère qu'on me demande: 'Comment te sens-tu aujourd'hui? Tu as l'air soucieux, tu es peut-être fatigué?" Cette belle franchise n'est la plupart du temps qu'un manque d'égards et de considération."

Une trop grande franchise peut faire des ravages dans la vie conjugale: on commence par ce qu'on croit sincèrement être une exploration des richesses intérieures de l'autre et l'on finit —comme nous le confiait avec amertume une divorcée— "par piétiner ses plates-bandes sous prétexte d'un besoin de vérité, ce qui est affreusement pénible!"

Il nous est bon de revenir à une plus juste compréhension

* Le docteur Yael Danielli est à la Faculty of the National Institute fort the Psychotherapies. Il fait de la clientèle privée en qualité de psychothérapeute; il soigne lès individus, les familles et fait de la thérapie de groupe à New York.

de la loyauté qui convient entre époux. Au sein d'un couple qui s'aime et se connaît bien, le franc-parler est plus aisé et moins risqué que dans n'importe quels autres rapports humains. Une profonde honnêteté réciproque va de pair avec l'ouverture à l'autre, la bienveillance et la confiance. Mais il demeure néanmoins des parties secrètes de notre moi que nous ne pouvons ou ne savons révéler. Il faut toujours témoigner de la plus grande délicatesse en ce domaine.

Comme Tim, ce publiciste de Boston, me le disait: "Nous sommes très ouverts l'un vis à vis de l'autre, ma femme et moi. Nous ne nous travestissons pas la vérité mais il y a tout de mêmes certaines choses qu'il vaut mieux taire: par exemple si je remarque une jolie pépée dans la rue, je ne vais pas courir le dire à ma femme. Elle sait que j'apprécie les jolies femmes mais je suis sûr que je la blesserais si je lui disais ce genre de choses. Nous nous disons beaucoup de choses mais nous gardons aussi notre jardin secret. Chacun a droit à son jardin secret selon moi; je ne m'attends pas à ce qu'elle me dise ce qu'elle a pu faire avant de me rencontrer ou me révèle toutes les idées qui ont pu, un jour ou l'autre, l'effleurer. Si elle a envie de me le dire, alors O.K. Ceci-dit nous ne nous cachons pas de choses importantes ni ne déguisons nos états d'âme. Si l'un de nous est en colère, il l'est ouvertement."

Nous devons respecter la vulnérabilité de notre conjoint et ne pas trahir sa confiance. Laurie dit en parlant de son mari: "Il peut même me faire des critiques de ma famille, je veux dire des critiques justifiées Par exemple il dira que ma mère a un appétit d'ogre; c'est vrai et cela ne me vexe pas. Mais il sait aussi ne pas dépasser la mesure, non par bonne éducation mais par respect pour ce que je pense de mes parents et également parce qu'il a des égards pour eux. Nous nous sommes dits des choses confidentielles. Je sais qu'aucune révélation de ma part ne le pousserait à me rejeter mais j'aime penser que je suis responsable de moi-même. Pour résumer mon point de vue, je dirai que je nous sens très proches l'un de l'autre et je sais que je peux absolument compter sur lui mais en même temps je sais que nous pourrons un jour nous retrouver séparés, ne serait-ce que par la mort, et je veux que nous puissions garder chacun notre autonomie. Ainsi je ne veux pas savoir quels étaient exactement ses rapports avec sa première femme; ce n'est pas par manque de curiosité de ma part ni rancune mais c'est leur secret à eux deux comme notre vie conjugale actuelle est notre secret à nous, à moi. Je ne le dis pas d'une façon possessive mais cela me concerne. Je ne veux pas lui faire des confidences que je pourrais regretter après et je désire qu'il en soit de même pour lui, au cas où notre mariage connaîtrait des difficultés. Je ne voudrais pas qu'un jour il ne puisse pas être heureux avec une autre femme parce que je lui aurais sapé sa confiance en lui. Et lui, s'il venait à détruire la confiance que j'ai mise en lui, je suis convaincue que je ne pourrais jamais plus faire confiance à aucun homme."

Quand nous nous entendons bien entre époux, nous pouvons nous chamailler, parfois nous faire du mal, malgré tout nous savons bien qu'avec le temps cela s'arrangera. Pourvu que nous soyons attachés l'un à l'autre, nous viendrons à bout ensemble de nos problèmes. L'intimité que crée le mariage entre deux êtres leur permet d'affronter le monde, d'affermir leur personnalité et de s'aider à se mieux connaître.

Hal: "J'espère avoir réussi à donner à Della conscience de sa propre personnalité. Pour ma part je sais qu'elle m'a donné le sens de mon autonomie. Quand j'ai l'impression que je vais m'effondrer, c'est elle qui sait le mieux me redonner du coeur au ventre. Elle vient à mon secours et, de ce fait, me fait vraiment renaître à moi-même. Je ne peux absolument pas dire que je perds quoi que ce soit de ma personnalité à cause de mon mariage, au contraire j'y gagne. C'est le meilleur côté de la vie conjugale: se sentir reconnu par l'autre. Je reviens à la maison et elle devinera où j'en suis et je pourrai de mon côté lui dire franchement ce qu'il en est. Nous parlons en toute vérité; selon l'occasion, c'est moi qui la soutiens ou bien c'est elle."

Della: "C'est la même chose pour moi. Quand je rentre après une journée où rien n'a marché et où je me sens complètement déprimée, je sais que je peux m'appuyer sur Hal. Il est à la fois la béquille, le médecin et le tremplin qui me renvoie dans les airs. Sans rien faire de spécial, pour *moi;* sa seule présence m'aide à refaire le plein; il réajuste les rouages, me remet les clés en main et me dit: 'Voilà, tu sais dans quelle direction tu repars?' Et je repars seule au volant, réconfortée et chaque fois un peu changée."

Que nous considérions notre mariage comme une île, une presqu'île ou de quelque autre façon, il faut noter dans le monde d'aujourd'hui le besoin croissant de voir notre personnalité confirmée par notre union. Rien ne va plus de soi en ce qui concerne le mariage à notre époque. Il nous appartient à chacun d'exprimer clairement ce qu'il sent, ce qu'il veut, ce qu'il attend de l'autre. J'ai toujours pensé que mon mariage n'aurait pas survécu sans cette mise en commun car son environnement et ses caractères étaient totalement différents de ceux du couple de mes parents. Dans ma famille j'étais considérée comme une bohème et le contraste extérieur entre notre vie conjugale et celle de mes parents a toujours provoqué une foule de malentendus. On m'a toujours reproché mon nomadisme, mes manies de rat de bibliothèque, ma façon de gaspiller notre argent péniblement gagné en l'investissant dans d'autres recherches plutôt que de le consacrer à acquérir une maison; on me blâmait d'entraîner mes enfants dans mes pérégrinations, des étés entiers ou même des années entières. Mais il se trouve que mon mari et moi n'avons

73

jamais ressenti le besoin d'une maison solidement amarée sur un coin de terre. Nous vivons sous la tente, dans des campings, des motels, dans d'anciens baraquements militaires reconvertis en habitations civiles, en appartement ou dans de grandes maisons à l'étranger: où que nous fussions avec les enfants, c'était notre foyer. L'essentiel de notre vie commune n'était pas de nous ancrer en un seul lieu tels nos parents mais de faire un travail qui nous intéressait et de le faire en collaboration. Nous avons fait de louables efforts pour ladite maison — nos fichiers sont bourrés de plans, de projets — mais notre passion pour les êtres, l'anthropologie, l'archéologie et la nécessité de gagner notre vie nous ont trop absorbés pour trouver encore le temps de la construire. Un appartement à New York fait aussi bien l'affaire. Parce que nous avons voyagé et vécu dans maints pays où nous étions considérés comme des "étrangers", et qui fait que nous vivons dans une grande cité impersonnelle nous comptons plus l'un sur l'autre d'une certaine façon que des couples plus sédentaires, et moins à certains égards. Nous ne nous croyons pas obligés de nous conformer à un certain modèle standard. Je ne joue pas à l'épouse idéale ni George à l'époux classique. Nous pouvons être nous-mêmes. Cependant à cause de nos circonstances de vie, des tensions et pressions diverses, des options et influences si différentes de celles qu'ont connues mes parents, il nous a fallu vivre dans une intimité plus profonde.

Nos milieux d'origine étaient extrêmement différents et notre couple a connu de grands moments d'hilarité — et de tension — quand il s'est agi de fusionner nos points de vue. A certains moments c'est passionnant de les confronter; à d'autres ce peut être fort douloureux. Mais je crois pouvoir dire que nous avons progressé en intimité autant par l'exploration de nos terrains d'origine, la découverte de nos enracinements, que par la poursuite des mêmes

74

objectifs professionnels. Les difficultés de notre vie sont légions; nous les affrontons constamment mais nous avons découvert que d'en parler, d'en débattre, même de nous disputer à leur propos et de chercher ensemble une solution, cela nous donnait la force dont nous avions besoin pour la lutte quotidienne. Nous ne pouvons nous permettre, même à présent, de supposer les problèmes résolus d'emblée.

C'est là qu'à mon avis gît la plus grande différence entre les mariages d'hier et ceux d'aujourd'hui: la façon dont nos sentiments s'articulent, se révèlent, s'étayent. Les modes de vie conjugale peuvent différer mais coexistent toujours amour, conflits, frustrations et joies, bonheur et souffrances, tragédies et situations comiques. Il y a toujours des problèmes à résoudre.

La réalité conjugale que nous créons peut s'adapter aux circonstances particulières de notre vie et à l'époque mais les fondements demeurent identiques.

7

Primauté du conjoint

Qui vient en premier? qui obtient la première danse? Pour qui a-t-on le plus de sollicitude? Comment établissons-nous nos priorités dans la vie conjugale?

Une jeune femme m'a raconté: "Ma grand-mère avait l'habitude de dire à ses enfants: 'Vous m'êtes chers et je vous aime tous mais votre père a la première place.' Je ne crois pas que je pourrais dire la même chose à mes enfants car ce ne peut être bon pour eux, cela les rabaisse. Mais je pense qu'intérieurement on sait qui a la première place dans notre coeur; pour moi, c'est mon mari et lui également me préfère."

Cette primauté donnée à l'autre dans le couple est un des fondements de la Maison du Mariage, au même titre que l'intimité physique et sexuelle, que le réseau familial dans lequel on est imbriqué du jour où l'on se marie, et que l'histoire créée ensemble. La primauté ainsi attribuée est le noyau autour duquel va se former le couple et dont sortiront confiance et loyauté mutuelles. Elle peut s'exprimer de mille façons; par exemple: "Quels que soient les aléas de notre existence, je sais que c'est toujours vers lui que je me tournerai en premier. "Si vous gagnez le prix Nobel à qui le direz-vous en premier?" "Pour votre anniversaire, de qui aimez-vous recevoir les voeux en premier!" "Ma femme est mon plus grand réconfort, je peux toujours compter sur elle." "Je sais que mon mari ne m'attaquera jamais, même en mon absence. Savoir qu'on a la première place dans son coeur, cela signifie qu'il prendra à coup sûr votre défense si on vous attaque ou si on se moque de vous, quelles que soient les circonstances."

La primauté donnée à l'autre au sein du couple ne veut pas dire que celui-ci sera plus important que moi-même. La passion exclusive qui place l'être aimé sur un piédestal plus haut que soi-même est une illusion romanesque de courte durée. L'aspiration à se perdre dans l'autre a inspiré bien des poètes, artistes et compositeurs de chansons, à travers les âges. "Elle lui a fait don de toute sa vie terrestre et d'encore bien plus dans l'au-delà." "Tu es tout pour moi."

Nous savons bien que nous pouvons devenir trop attachés l'un à l'autre et qu'il y a de ce fait risque de possessivité. Il y a un monde entre "être uni à" et "appartenir à". Si étroitement associés que puissent devenir deux époux, ils n'en demeurent pas moins deux personnes distinctes et séparées. Ce n'est pas parce que nous avons choisi un être entre tous pour le chérir et lui donner la première place dans notre coeur que nous avons le droit d'attendre l'impossible et de faire peser sur ses épaules tout le poids de nos désirs, de nos craintes, de nos insécurités. Tôt ou tard celui qui se sent possédé voudra se libérer, même s'il lui en coûte la perte de son amour, la rupture de son mariage. Un homme divorcé m'a avoué: "Ce que je déteste dans le mariage, c'est la possessivité; c'est le mal radical qui surgit et tue la relation. Mon mariage en est une illustration. Il nous arrive à tous par moments d'être possessifs mais c'est une attiutde dangereuse qui avilit l'autre et lui fait perdre le sens de sa dignité. Je ne veux pas me sentir possédé, aliéné de ma liberté; je veux être désiré pour moi-même, être désiré tel que je suis par une seule personne mais je ne peux supporter l'idée que cette personne me possède et est en droit d'exiger son dû."

Puisque le mariage fusionne nos existences et nous associe en une union qui implique certaines exclusives, le choix de notre conjoint suppose qu'à ce moment même il n'y ait pour nous aucun être qui ait autant de valeur à nos yeux et avec qui nous aimerions vivre. Bien qu'il existe d'autres motivations pour se marier — commodité, pression parentale ou sociale, imitation de ce que font nos amis — de plus en plus nombreux sont les jeunes gens qui choisissent cette voie en pleine conscience entre beaucoup d'autres qui s'ouvrent devant eux. Le sentiment d'être le premier dans le coeur de l'autre doit être à la base de ce choix, si le mariage est appelé à devenir le fondement de notre existence.

Pour beaucoup d'entre nous cette primauté réciproque du conjoint nous donne la sécurité nécessaire pour établir avec le monde extérieur des relations confiantes et fructueuses. "Un bon mariage nous permet à tous deux de jeter l'ancre." Ainsi s'exprimait une femme qui jonglait victorieusement avec les exigences de sa maternité, de son couple et de sa carrière. "Cela donne une sorte de stabilité, de sécurité dans le domaine émotionnel qui permet de prendre son essor. Peut-être la meilleure façon de décrire ce que je ressens est de partir du point opposé: quand cette sécurité du foyer leur est refusée, les gens découvrent tout à coup qu'ils ne se tirent plus aussi bien de leurs tâches extérieures, professionnelles ou sociales, et qu'ils perdent confiance dans leurs aptitudes.

Cette certitude que vous êtes le premier dans le coeur de votre époux et vice versa vous permet également de connaître les limites de votre liberté: vous savez qui doit passer en premier et cela conditionne votre échelle de valeurs, permet le discernement des priorités. Une jeune avocate l'a découvert après s'être mariée; "Je ne me suis jamais plus demandé si j'allais avoir des aventures avec d'autres hommes. Avant mon mariage, même quand je savais déjà que j'allais me marier, j'avais des liaisons avec plusieurs garçons à la fois. Maintenant que je suis mariée depuis deux ans, il m'arrive pour mon métier de partir en voyage avec des hommes; l'idée d'avoir une aventure avec l'un d'eux ne m'effleure même pas. J'allègue une migraine quand un client se montre trop entreprenant. Beaucoup de mes amis actuels sont des gens avec qui j'ai eu des liaisons; à présent ils sont strictement des amis, je tiens à ce que cela soit ainsi. Je me rends compte qu'autrefois même en ayant des relations sexuelles avec eux, je ne tenais pas tellement à avoir une véritable intimité avec eux. Je n'en ai plus besoin de toute façon. Mon mari me donne cette intimité dont j'ai soif. Je garde mes distances avec les autres et je suis beaucoup plus heureuse. Le mariage me donne les coudées franches avec les autres gens; c'est bien plus agréables et sécurisant ainsi."

Parfois cette primauté de l'autre se manifeste par un don, une décision, une envie de faire quelque chose qui vous déplaisait mais qui a de la valeur aux yeux de celui qui compte plus que tout pour vous. J'ai rencontré un jeune couple au Canada; l'un et l'autre ont des métiers très exigeants et beaucoup d'activités variées, aussi ont-ils appris à se faire des concessions en ce qui concerne leurs loisirs. La femme dit: "Si quelque chose est vraiment important pour vous, alors le conjoint doit suivre et être là. Par exemple pour nous cela se passe ainsi: nous faisons partie de deux clubs nautiques dont les dîners annuels ont lieu à quinze jours de distance. Pour ma part je trouve ce genre de soirées absolument rasant surtout quand ces fanatiques du bateau à patins se mettent à discourir sur leurs prouesses mais j'y vais, j'écoute, je mêle mon grain de sel pour faire plaisir à mon mari qui y tient. Par contre, quand nos idées divergent sur l'importance de ceci ou cela, il faut en discuter tous les deux. Pour mon mari les vacances idéales c'est un séjour aux Caraïbes pour faire de la voile. Pour moi c'est l'horreur des horreurs, cent fois pire que d'assister à deux dîners rasants. Aussi, l'an dernier, quand il a voulu y aller, j'ai dit: 'Parfait! Trouve-toi des amis pour t'accompagner et moi je vais me réserver une chambre dans un hôtel sur la plage. Comme ça je profiterai du soleil et je n'aurai pas à coucher sur le bateau, ce dont j'ai horreur, comme tu le sais.' Nous avons fait les trajets ensemble et tout s'est fort bien passé.

Si l'on m'offrait une magnifique situation à New York qui me demanderait trente heures de travail par semaine pour lesquelles on me donnerait un salaire annuel de $65,000 dollars et que l'on me demandât de signer tout de suite, je ne pourrais pas le faire, si grande qu'en soit mon envie. Mon mari est établi au Canada et, par égard pour lui, il faut que j'en discute avec lui pour voir quelles seraient ses possibilités au cas où nous déciderions ce changement. J'attends la même attitude de sa part à lui."

Les décisions qu'ont à prendre les conjoints, qui ont chacun une carrière importante, mettent sérieusement à l'épreuve cette primauté de l'autre. Quelquefois ils résolvent la difficulté en choisissant à tour de rôle les priorités, allant jusqu'à déménager plusieurs fois pour répondre alternativement aux exigences de leur profession. Certains ont trouvé de nouvelles solutions: les conjoints vivent à grande distance l'un de l'autre et se retrouvent par périodes. C'est sans doute plus difficile, mais pas impossible, de garder l'unité du couple et ce sentiment de primauté quand on ne vit ensemble que de façon intermittente. Le service militaire et d'autres professions qui impliquent de longues séparations ne permettent peut-être pas ce que nous considérons comme l'optimum du mariage mais c'est ce que vivent de nombreux couples qui semblent s'y être bien adaptés, acceptant les compromis nécessaires parce qu'ils sont convaincus de cette primauté du conjoint, qu'ils vivent ensemble ou éloignés.

Ce sentiment de prédilection que nous inspire celui ou celle en qui nous avons mis toute notre confiance, avec qui nous vivons en communion, diffère tout à fait de la faveur ou de la passion avec laquelle nous nous consacrons à notre profession, au culte d'un art, à quelque activité de notre choix. Il s'agit là de sentiments souvent complémentaires: si l'un ou l'autre venait à nous manquer, notre vie serait amputée d'un de ses éléments essentiels. Une femme-peintre de mes amies s'en expliquait ainsi: "Mon activité artistique compte énormément à mes yeux mais sans mon mari je serais obsédée par un sentiment de solitude, de vide que rien ne pourrait venir combler. L'Art ne me suffit pas. Si on fait partie de ces êtres qui ne ressentent pas d'effroi devant la confusion, le chaos du monde, même quand ils manquent d'un compagnon privilégié c'est parfait, mais moi, je n'appartiens pas à cette catégorie." Les nouveaux mariés manifestent une telle passion exclusive l'un pour l'autre que cela les fait vivre dans un monde à part. Ils ont besoin de protéger leur unité, au moment où ils font effort pour mieux se connaître et mettent au point leurs moyens personnels d'atteindre à une plus grande intimité. En ces premiers temps de leur existence commune, où chacun venant d'un horizon différent apporte son histoire personnelle et où tous deux regardent dans la même direction, vers l'avenir qu'ils auront et se feront, il faut bien consacrer toute son attention, toute sa sollicitude, tout son amour à son vis à vis. Nous avons *décidé* d'épouser cette personne, nous avons *signifié* par cet engagement solennel que nous liions notre destinée à la sienne dans un rapport d'interdépendance. Bien sûr il peut arriver que cette première étape franchie, les époux demeurent trop exclusivement attachés l'un à l'autre en restant toujours ensemble et en coupant les amitiés, les relations et les contacts, qui sont indispensables pour leur épanouissement personnel. Il est évident qu'aucun être à lui seul, fut-il celui qui nous est le plus cher, ne peut nous donner tout ce qui est nécessaire à notre croissance.

Une jeune mère confessait: "Je ne sais plus très bien où j'en suis avec Dan et les enfants. Je ne saurais pas dire à qui je donne la préférence; je suis beaucoup plus tiraillée entre lui et eux qu'il ne l'est. Je crois pouvoir affirmer qu'il m'aime plus qu'eux mais je ne peux pas en dire autant. Je les aime eux et lui, pas de la même façon évidemment, mais je dois reconnaître qu'il n'est pas toujours le préféré. Parfois Dan est jaloux d'eux; il est un peu en compétition avec eux; pourtant dans le fond je serai contente plus tard de vivre avec lui, sans les enfants, et je suis bien sûre que je lâcherais tout et filerais en Alaska, s'il le fallait, pour être avec lui."

Dans un couple, on a beau adorer son conjoint et être adoré par lui, on a beau se témoigner le plus extrême attachement, l'enfant qui vient est une partie de vous-même et il a droit aussi au premier rôle dans votre coeur. L'un et l'autre ont une égale importance, chacun dans sa catégorie. Les enfants ne perturbent pas forcément la relation première entre les époux. Il s'agit d'une préférence d'un ordre différent; il y a des moments où l'enfant doit être le premier. Chaque enfant mérite d'être chéri et respecté en tant que personne qui a son originalité et son importance. Les parents contribuent à développer chez l'enfant l'estime de soi et la conscience de sa propre valeur de la même manière que les époux, l'un vis à vis de l'autre. Il y a des

82

périodes où les enfants réclament davantage de temps et d'attention. Comme une jeune mère le faisait remarquer: "Malheureusement je ne peux consacrer autant de temps que je le voudrais à mon mari en ce moment car les enfants sont petits et prennent beaucoup de mon temps et de mon attention. Mais on ne perd jamais de vue que les enfants arrivent puis repartent, tandis que l'époux est là pour toujours, du moins on l'espère. Je pense que c'est le fait des bons mariages.

Je sais bien qu'il y a des moments où à cause des enfants les choses vont très mal, ainsi les rapports avec le mari. C'est très difficile d'associer un mari aux soins d'un nouveau-né. Quand j'ai commencé à allaiter ma première petite-fille, j'avais une drôle d'impression; je ne savais pas si j'étais ma mère en train de me nourrir ou ma fille en train de nourrir la sienne; en tout cas j'avais conscience d'appartenir à une très longue lignée descendant de mère en fille... où trouver place là-dedans pour mon mari? Mais à certaines heures on met le bébé dans une autre pièce et on va passer un bon moment seule avec son mari. Et tout va bien."

La préférence accordée au conjoint peut s'exprimer par de petites actions — un regard, un geste, un certain sourire — aussi bien que par de grands sacrifices, cela fait partie intégrante de la vie comme la loyauté ou le temps. C'est un flux continu qui alimente notre vie ensemble, à la manière d'un courant électrique qui est toujours là, même quand les lampes sont éteintes. Nous n'avons pas besoin de passer vingt-quatre heures sur vingt-quatre avec lui ou elle pour montrer qu'il ou elle a la première place dans notre coeur; pas plus que nous ne passons vingt quatre heures au lit pour manifester notre intimité physique ou ne consacrons vingt quatre heures à notre profession. La qualité des heures passées ensemble est plus importante que le nombre.

Quantité et qualité du temps passé ensemble varient avec chaque couple. Pour la plupart d'entre nous, notre amour mutuel n'implique pas qu'on passe tout son temps libre ensemble: cela ferait trop.

Ceux qui passent ainsi la plus grande partie de leurs loisirs ensemble ont souvent des moments d'ennui ou de disputes. Ils ne communiquent pas forcément et le fameux courant risque de ne pas passer entre eux quand ils font silence, lisent ou regardent la télévision dans la même pièce. D'autres, qui sont souvent chacun de leur côté, maintiennent une union bien vivante parce que le temps qu'ils passent tous les deux est de la plus haute qualité et qu'ils partagent à ces moments-là leurs pensées, ce qui les intéresse et leur tient à coeur.

Lorsque une relation censée occuper la place secondaire —parents, ami ou même travail — en vient à prendre trop d'importance, de temps, d'énergie ou d'affection, la menace devient sérieuse et les griefs, les récriminations, commencent à s'accumuler.

Jane a vingt neuf ans; elle est mère d'un jeune enfant. Son mari dirige un restaurant et passe la majeure partie de son temps loin de chez lui, pris par son travail, par les relations qu'il entretient avec ses amis-hommes et même avec des clients. Jane découvre qu'il a une liaison avec une de ses collaboratrices. Elle est fort malheureuse et songe à divorcer. "Dans tous les domaines, je viens après les autres, après ses amis, après son travail, même après son fils. Quand il rentre, c'est mon fils qu'il embrasse en premier, pas moi. Et maintenant, même au lit, je viens en second puisqu'il a cette liaison. Je suis la cinquième roue du carrosse, voilà tout! j'ai l'impression de n'être qu'un meuble pour lui. Je ne demandais pas à avoir la première place tout le temps mais de temps en temps. Le conseiller conjugal m'a dit lui-même: "Votre mariage est mort. Vous êtes au bord de la tombe, allez-vous-en. Que font les gens

84

qui viennent sur une tombe? Ils se recueillent dans la tristesse un moment et puis ils repartent. On ne peut rester à pleurer et gémir indéfiniment.' Oui, il m'a dit 'votre mariage est mort' et pourtant les gens me disent toujours: 'est-ce qu'il n'y a rien à faire? Je ne peux tout de même pas ressusciter un mort. Qu'attendent-ils de moi? Un tour de passe-passe? Je ne suis pas Houdini!"

Cette primauté du conjoint ne peut se définir par la négative, en faisant la liste des manquements à cette qualité de nos rapports. C'est un sentiment positif qui se manifeste de mille façons délicates ou en quelques rares grandes occasions. S'il existe, vous sentez sa présence quel qu'en soit le mode d'expression. Ce n'est pas une question pure et simple de temps qu'on donne à l'autre; c'est une dévotion constante, une tendresse, une sollicitude spontanée que nulle horloge ne peut mensurer, qu'aucun code ne peut réglementer. Sans cette prédilection mutuelle, un mariage aura de la peine à garder vitalité et chaleur mais si elle existe, chacun des époux se sentira enrichi, en sécurité, à l'abri des affres de la solitude.

8

Le réseau familial

Quand j'étais petite-fille, j'adorais me glisser dans le salon obscur de ma grand-mère par les chaudes après-midi d'été. Pendant qu'elle s'affairait devant l'énorme fourneau à bois qui trônait dans la cuisine de cette vieille ferme de Pennsylvanie, je tirais les rideaux de velours et remontais les stores vers foncé. Ensuite je m'empressais de sortir les vieux albums de photos et les cartons pleins de ferrotypes. Je pouvais passer des heures, fascinée par ces étrangers qui me fixaient, immergée dans ce mystérieux passé familial respirant l'odeur un peu moisie de ce petit salon où l'on allait si rarement.

Personne ne voulait répondre à mes questions concernant ces hommes et ces femmes si bizarrement attifés et qui avaient pris des poses guindées devant l'objectif. Le silence était considéré comme une vertu en ce temps-là, quand il s'agissait de dissimuler fautes et scandales. On ne parlait que des choses "bien", pensant qu'ainsi on évitait la contagion du mal aux coeurs innocents des enfants. Mais je devinais déjà à voir le regard romantique et exalté de cette jeune femme, la pose de cette coquette aux bottines à haute tige et petits boutons, la mine suffisante de ce moustachu et ces poings serrés qui faisaient peur, que la vie ne devait pas être aussi simple et vertueuse que ma famille aurait voulu me le faire croire.

Me voici de nouveau assise par terre, environnée d'albums quarante ans après. Autour de moi cartons et valises débordent de photos, de ferrotypes sans oublier les portraits encadrés empilés sur la table. Il y a là frères, tantes, oncles, cousins, parents par alliance, ceux du vingtième siècle mêlés aux vénérables ancêtres avec leurs grands chapeaux, corsages et jupes amples, montres de gousset, moustaches en forme de guidon de bicyclette, longues barbes, robes à col montant, tout ce monde représentant une pyramide de quatre cents êtres humains unis par les liens du sang et ceux du mariage, par l'animosité et l'amour, les chagrins et les joies.

Voici les cabanes en rondins, les boquets et les chevaux, les fermes à demi enfouies sous la neige, les pique-niques estivaux, les promenades dans les charrettes à foin, les premières automobiles... La famille autour de moi rit et se souvient; on boit de la bière et on passe à la ronde crackers et fromage. Puis on redevient sérieux pour évoquer les qualités, les hauts faits des uns ou des autres: cette tante était une véritable sainte; ce cousin ne valait pas cher; mon oncle bondit au piano pour jouer la ritournelle que j'aimais tant, lorsque j'étais une gamine en tablier et galoches. Nous nous mettons à chanter en choeur et je suis reportée tant d'années en arrière! A présent le temps a solidement tissé ce vaste réseau familial et qu'une longue histoire personnelle se déploie derrière moi, ces photos m'ont dévoilé leurs secrets; je n'ignore plus rien des passés jadis mystérieux pour mon coeur d'enfant, de leurs aventures, de leurs chagrins, des méfaits, des bonheurs, des actes de courage ou de lâcheté. Ces êtres sont réels, paysans bien enracinés sur leur sol, dévoués, tendres, cyniques, volages, persévérants, indépendants, qui comptent dans leurs rangs tout à la fois des canailles et des héros. Telle est mon ascendance composée pour la majeure partie de gens du Middle West, graves et sensés; je sens tout ce que je leur dois et je songe à la signification de ces mots: *"la voix du sang"*.

J'avais la même impression, lorsque j'écoutais avec George les récits de ses parents sur leur jeunesse et que je regardais leurs vieilles photos. J'entends encore le rire de sa mère quand elle les commentait: vie au Guatemala, à New York où, jeune secrétaire bilingue, elle déjeûne dans un parc munie d'un parasol et coiffée d'un gigantesque chapeau à la mode victorienne. Et voici le jeune homme romantique qui lui fait la cour, engoncé dans son col dur, et qui n'est autre que le père de George. Il y a aussi des groupes familiaux photographiés en Espagne, à Porto Rico, à New Jersey et au Pérou. George encore, en longue robe de baptême ou la mine sévère, avec ses knickers et les cheveux coupés à la Buster Brown. Cette fois, il s'agit de notre photo de mariage où vont se trouver réunies deux ascendances si différentes: George, son exubérance latine, ses émotions à fleur de peau, son charme d'Irlandais et moi avec mon sens pratique et mon tempérament chaleureux originaires du Middle West ainsi que notre conviction commune qu'il n'y a rien de trop dur à qui sait vouloir.

Parce que je me sens rattachée, à ce passé par toutes les fibres de mon être et que je suis consciente de mon appartenance à ce vaste réseau familial, je me crois mieux en mesure de vivre pleinement ce présent où nous cheminons côte à côte, George et moi. Riche de cette intime conviction, je comprends mieux la solitude de certains couples d'aujourd'hui qui n'ont pas la possibilité de vivre près de leurs familles d'origine et ne les voient qu'à de rares occasions. Nous avons besoin de puiser de temps en temps dans l'atmosphère familiale (de la famille élargie) une sorte d'eau de jouvence qui nous donne des forces pour créer à notre tour notre histoire individuelle. Je vis bien loin de ces vieilles fermes de Pennsyvanie; mon enfance à Akron se situe dans un passé qui s'éloigne vertigineusement vite. Comme l'Espagne et le Pérou sont distants de nous. Pourtant il m'arrive de me demander si les sillons que je creuse dans la grande cité où j'habite diffèrent tant que cela de ceux tracés dans ma terre natale. Les solutions que nous découvrons à nos problèmes sont-elles autres? Les émotions et les sentiments qui nous envahissent ne sont-ils pas les mêmes?

Quand nous nous marions, c'est un peu comme si nous ouvrions au hasard un énorme album dont les feuillets seraient ornés d'arbres généalogiques et que nous choisissions une page pour y dessiner notre rameau. Cette place que nous prenons à deux et par où convergeront deux lignées me paraît être ce qui distingue le mariage des autres choix de l'existence.

"Je pense, dit Martha, qu'une des raisons qui m'ont poussée à épouser mon mari, c'est qu'il supportait bien ma famille avec qui je passe une grande partie de mon temps; il l'accepte avec beaucoup de bonne grâce. Quand il s'agit d'une simple liaison, on évite plutôt de rencontrer la famille de l'autre; on n'a pas envie de se lier avec eux. Je crois qu'on peut juger quelqu'un d'après la façon dont il se comporte avec sa propre famille et avec la vôtre. Ce que je cherche dans un compagnon de vie, c'est la bonté, une bonté profonde, biblique si je puis dire; mon mari à mes yeux répondait à cette exigence; il a toujours aidé ses parents qui avaient de très petits moyens d'existence."

Le jeune mari disait de son côté: "J'ai épousé ma femme, je n'ai pas épousé ses parents." Mais cette phrase ne correspondait pas en fait à ce qu'il vivait. J'ai entendu quelque part qu'il y a six personnes concernées par un mariage: les époux et les deux parents de chaque côté. Bien sûr les beaux-parents peuvent se voir rapidement exclus mais c'est un aspect de la vie conjugale dont il faut tenir compte, qu'on les adopte, les ignore, qu'on les aime ou les déteste. Dans la bonne hypothèse, notre capacité d'aimer et de nous dévouer est décuplée. Nous les admirons et les respectons pour eux-mêmes ou parce qu'ils font partie de la vie du conjoint et sont un maillon dans la chaîne que constituent son histoire personnelle et celle de sa famille, chaîne que nous faisons nôtre le jour de nos noces.

"Quand j'ai fait la connaissance de ma belle-mère, elle n'était plus qu'une petite vieille dame éprouvée par la maladie, me racontait Hilary au bout d'un an de mariage. Mais en regardant l'album où elle avait rangé les photos de Ken, j'ai vu un portrait d'elle en danseuse qui remontait à trente ou quarante ans en arrière. J'ai ainsi appris qu'elle avait été danseuse professionnelle alors qu'elle n'en parle jamais. Depuis, nous parlons souvent de son art, de ses souvenirs professionnels, et cela a créé entre nous un lien très fort. Je sais que nous ne l'aurons plus longtemps parmi nous car sa santé délabre de plus en plus mais je sens que son souvenir nous rapprochera Ken et moi plus tard. Nos enfants auront ce sens de l'histoire familiale, de leurs racines, de leurs antécédents; ils sauront d'où vient leur père. C'est la raison pour laquelle j'aime le mariage, il prend place dans une durée, dans un lignage; c'est plus qu'un aujourd'hui fugitif. Je ne veux pas dire qu'il faut vivre la tête tournée vers le passé mais c'est ce passé qui donne sens à ma présence en ce jour et à ce que je peux y construire."

Il arrive que des parents refusent le choix qu'aura fait leur fille, un fils peut également décevoir sa famille en jetant son dévolu sur une épouse qui ne semble pas digne de lui. Nous connaissons tous de ces couples qui se sont mariés en dépit d'une forte opposition et qui ont été "désavoués". En revanche il y en a autant et même davantage qui ont réussi malgré des origines familiales fort dissemblables. Le couple a su s'imbriguer dans le réseau familial malgré ces différences. "Je me trouve dans une situation étrange, m'explique Judy. Je suis le seul élément juif dans un milieu de catholiques irlandais. Je suis totalement différente de la famille de Denis et j'ai su par ouï-dire que sa mère souffre de ce que je sois juive. Elle a peur que je n'influence ses petits-enfants contre elle, ce qui est absurde. En même temps je pense qu'une fois mariés même si les conjoints sortent de milieux follement différents, ils doivent adopter la famille de l'autre parce qu'ils en font partie dorénavant. J'aime beaucoup entendre les gens de ma belle-famille raconter des histoires de Dennis quand il étaitpetit; cela me fait toucher du doigt que je partage sa vie."

Ces jeunes femmes qui n'en sont encore qu'au début de leur vie conjugale sentent déjà l'importance de ce réseau familial dont elles sont partie prenante. C'est, je pense, en partie à cet état d'esprit qu'elles doivent la solidité de leurs toutes nouvelles relations avec leur mari. Elles ont assis leur mariage sur une base solide.

Certaines, comme Judy, découvre des avantages imprévus. "Mon père ne pouvait se faire à l'idée que son bébé allait se marier. Ma mère et lui connaissaient déjà Dennis et l'appréciaient beaucoup mais, malgré cela, pendant deux mois après nos fiançailles, il est resté assez morose. J'ai un seul frère qui ne s'entend pas merveilleusement avec lui. Une fois que mon père s'est habitué à ce projet de mariage, il a découvert qu'il pouvait trouver en Dennis le fils qui remplacerait celui avec qui il n'avait jamais pu communiquer. Lui et Dennis aiment faire des tas de choses ensemble et ils ont toujours quelques projets en tête." Pour Hilary aussi le mariage a amélioré ses propres relations familiales. "Depuis l'âge de dix-huit ans, je ne me suis jamais sentie très proche de ma soeur; à présent tout est changé: elle adore mon mari alors que je ne raffole pas du sien. Maintenant je vois celui-ci sous un nouveau jour, parce qu'il s'entend merveilleusement avec Ken, et mon jugement sur ma soeur a également changé. A cet égard, Ken, m'a rapproché de ma famille. Lorsque je vais dans la maison de ses parents, je vois l'arbre dans lequel il aimait grimper, petit; j'apprends des tas de choses sur son enfance. Cela me donne un certain sens de son histoire à lui. Ses parents, ses albums, ses tantes un peu piquées, tout cela c'est ce passé qui l'a fait tel qu'il est. S'ils avaient été différents, lui aussi ne serait pas ce qu'il est, en un sens il n'existerait pas."

Qu'advient-il de ces couples de notre connaissance qui rejettent leurs familles, se coupent de leurs racines, de leur passé? Ont-ils de ce fait supprimé ces bases dont j'ai tant vanté l'importance pour le mariage? Non, il n'en est rien. Dans bien des cas, ces époux sont heureux et leur union réussie. Leur famille est néanmoins avec eux, ne serait-ce que comme modèle de ce qu'ils ne veulent pas recréer dans leur ménage.

Certains types de comportements ont tendance à se répéter dans la descendance, c'est ce dont Ray a conscience avec son sens profond de sa responsabilité de père de famille.

"Ma famille commence du jour de mon mariage avec Jeannie, et tout ce qui s'est passé avant n'existe plus pour moi. Mon grand-père paternel était un sale type et il l'est resté; mon père était un alcoolique; chacun d'eux a traité son fils de telle façon qu'ils se sont fait détester et redouter. Moi j'ai voulu stopper cet engrenage: je m'entends très bien avec mon fils, ce qui est très important à mes yeux. J'ai lu que c'est impossible de briser cette sorte d'engrenage et qu'on est esclave du comportement hérité, j'ai fait la preuve du contraire. Je ne suis pas entré dans la peau du personnage de père terrible que j'avais vu jouer à mon père qui le tenait lui-même du sien... c'est un rôle vraiment détestable. J'ai très mauvais caractère et il m'arrive de crier mais mon père criait encore plus fort et il frappait. Il exigeait de moi et de ses autres enfants le genre d'obéissance que le type armé d'un martinet attend de sa victime; ce n'est pas ce que j'attends de la part de mes enfants. Je constate que mon fils a envie d'être avec moi tandis que je n'avais qu'une idée: fuir mon père." Prenant conscience de ce qui lui a manqué à cause de cette rupture de communication avec la famille, il ajoute: "J'ai beaucoup d'amis qui viendraient à mon aide bien plus volontiers que mes parents ne le feraient mais cela m'ennuie. Je ne veux surtout pas que les choses se passent de cette façon pour mes enfants; je veux qu'ils aient avec leur mère et moi ces liens chaleureux qui m'ont tant manqué."

Une autre jeune femme qui a ce qu'elle appelle une mère 'dominatrice' nous raconte; "Je me souviens qu'à un moment mon mari voulait poser sa candidature pour un poste à l'Université du Maryland et je lui ai dit: 'Oh, surtout pas; c'est à deux pas de la Virginie, je ne veux pas que nous allions si près de ma famille.' Il faut que je garde ma liberté par rapport à eux et que j'affirme mon autonomie surtout vis à vis de ma mère."

Pourtant son mari expliquait: "Quand nous nous sommes mariés, je pensais à l'importance de nos deux familles. Il me semblait que tôt ou tard, nous pourrions ressentir le besoin de nous enraciner davantage dans notre milieu familial."

Donna et Jim, eux, ont été pendant des années en bisbille à propos des gens de la famille: il adore les réunions familiales, elle les déteste, ayant à la fois horreur de ce genre de réceptions et des personnes qu'on y voit. Il serait heureux qu'elle aime ça autant que lui mais il a bien dû se résigner à un compromis: il y va seul. 'C'est elle qui y perd' dit-il en haussant les épaules et il a peut-être raison.

93

D'ailleurs il a proposé de s'occuper, autant que son épouse, de sa belle-mère restée veuve.

Nous faisons les arrangements à notre guise et selon les circonstances mais nous n'oublions pas que, même si nous ne développons pas à fond les relations avec nos familles, celles-ci demeurent une réalité selon la loi et ont une forte influence sur le couple. Margaret Mead* écrit: "Chaque mariage est la répétition — à bien des égards— de ce qui s'est passé pendant la petite enfance, notamment de la façon dont père et mère ont joué le rôle attribué à leur sexe respectif. Que ces rôles parentaux soient imités ou niés, ils demeurent néanmoins un facteur important du mariage. tout ce que les deux conjoints auront ressenti durant leur enfance —heureuse ou malheureuse— va se trouver réactivé."

L'héritage de nos parents — ce qu'ils ont vécu — fait partie de notre présent sous la forme de comportements, d'habitudes, de goûts, de craintes. De plus, que nous choisissions — décision qui nous appartient en propre — de faire bon usage de ces liens familiaux en les considérant comme des racines nourricières (et non comme un moyen de subsistance financier ou physique ou de les rejeter purement et simplement, pour des motifs valables ou non, chaque couple marié commence —choix ou nécessité — à écrire son histoire, faite des expériences partagées au fil des jours et des années de vie commune.

A notre tour nous nous mettons à accumuler les photos qui nous concernent, nous et notre époque. Nous pouvons les ajouter à la suite de celles de nos parents et ancêtres, dans l'album familial ou bien nous en servir pour marquer, comme Ray, le début d'une lignée, projection dans le futur de notre couple et expression de sa continuité.

---

*Citation provenant de son article publié dans la revue Redbook. (numéro de Mai 1975)

9

Valeur du temps et de la durée

L'on pourrait dire que dans l'engagement conjugal, il y a trois facteurs à prendre en considération: deux êtres humains et le temps, ce temps à vivre ensemble qui prendra tant de visages différents. Lors de la cérémonie retentissent les paroles solennelles: "jusqu'à ce que la mort nous sépare" qui confèrent à notre mariage une durée quasi illimitée. De la valeur et de la qualité de ce temps passé ensemble dépend la solidité de notre relation. Notre union peut durer toute une vie et se voir célébrée par les noces d'or; elle peut aussi — et cela arrive souvent — ne durer que pendant le laps de temps long ou court qui sépare la cérémonie du divorce. Parmi les fondements de notre Maison du Mariage le temps est celui qui nous semble le plus assuré.

Le facteur temps dans le mariage est affaire de circonstances; il dépend aussi de la façon dont nous allons jouer le jeu. On peut le négliger, lui accorder une trop grande valeur ou trop peu, le laisser couler avec insouciance ou le capitaliser. Certains ne vivent pas le présent tant ils sont axés uniquement sur l'avenir; d'autres gardent jalousement leur temps, toujours anxieux à l'idée de le gaspiller. Enfin il en est aussi qui, suspendus au passé, ignorent l'importance du moment présent dont dépend la forme du futur.

Chacun de nous joue du temps à sa manière dans un couple, pourtant c'est un bien dont nous disposons en commun à part égale. Il ne se calcule pas simplement en heures, jours et années, il y a aussi les instants de tendresse, ceux de mauvaise humeur ou de sérénité, les crises de colère, les vieilles plaisanteries qui reviennent, tel un refrain. Nous expérimentons le temps qui permet d'élaguer les habitudes nuisibles et celui qui permet aux blessures de cicatriser. Vive le temps qui nous est donné pour cultiver à loisir cette petite graine de confiance mutuelle dont on ne peut bousculer la lente croissance.

A cause de tout ce temps que nous avons passé ensemble, mon mari et moi, nous avons à nous deux un trésor d'émotions et d'expériences partagées; avec personne d'autre au monde nous n'avons pareille richesse en commun. J'ai parfois envie de gommer les moments où nous nous sommes fait souffrir, pourtant je sais qu'ils ont eu leur prix: ils m'ont enseigné qu'on pouvait leur survivre et en émerger meilleur. Seul le passage du temps nous permet de réaliser ce qu'est pour nous la vie conjugale et de nous connaître plus à fond l'un l'autre. Je comprends mieux où j'en suis à présent parce que j'ai conscience de ce que j'étais à tel ou tel moment du passé.

Mes parents se sont mariés pour toujours c'est évident. Même de nos jours où le taux de divorces va croissant "pour toujours" est une expression que l'on entend constamment sur les lèvres des jeunes gens qui viennent de se marier comme sur celles d'époux assez expérimentés pour savoir que la vie conjugale passe par des saisons et des cycles de toutes sortes.

Margaret est une artiste qui depuis près de quarante ans

a su allier son travail personnel et sa vie avec une personnalité très en vue. Voici ce qu'elle nous disait: "Je comptais bien être mariée pour de bon. Dans ma jeunesse on se mariait pour la vie, sinon à quoi aurait servi de faire ce choix? Quant à moi j'avais très fort ce sens de la pérennité du mariage. Mes parents avaient divorcé et cela ne s'était pas très bien passé ni pour eux ni pour moi. Mon mariage a été très heureux. Bien sûr, avant tout, j'étais très contente d'être une femme mariée, cela me situait; je ne veux pas dire que je cherchais à me "placer" socialement mais je voulais avoir une certaine relation avec quelqu'un qui me serait très proche, avec qui je pourrais vivre en communion. J'ai eu beaucoup de chance à cet égard. Je crois que la chance intervient pour beaucoup dans un mariage.

Quand je réfléchis à mes propres réactions et que je regarde les jeunes couples d'aujourd'hui, je trouve normal qu'ils soient inquiets. Ils n'ont pas encore d'expérience, alors ils passent leur temps à s'auto analyser: est-ce que j'ai eu raison? Allons-nous nous en tirer? Est-ce ainsi que les choses doivent se passer? Qui pourrait leur donner les conseils nécessaires? Les parents ont vécu à une époque totalement différente; les contemporains ne mènent pas le même genre de vie et de toute façon on n'en aperçoit que la surface; ce qu'on vit réellement chez-soi, qu'en savent les autres? Mais quand on vit depuis longtemps ensemble comme mon mari et moi, on sait que cela marche bien, harmonieusement.

Quand on arrive à mon âge, on se fait moins de souci. Si on a la perspective d'une soirée qui vous ennuie, on peut toujours se dire que cela passera vite comme les autres moments ennuyeux que l'on a traversés. On peut se raisonner aussi quand surviennent des évènements plus graves. Le fait qu'on a traversé pas mal de choses dramatiques ensemble vous fait sérieusement apprécier la présence aimante de votre compagnon ou compagne."

En plus de sa profession, Margaret a assumé les tâches maternelles et grand-maternelles ainsi que beaucoup d'obligations résultant de la carrière de son mari. "Au fur et à mesure que les années passent, expliquait-elle, les activités changent et vous avec; vous n'avez plus le même genre de responsabilités et vous ne disposez plus de votre temps de la même façon. Vous vous sentez plus libres quand les enfants ne sont plus là; les liens demeurent les mêmes mais vous n'avez plus à assurer une présence de toutes les minutes. Nous avons toujours aimé, mon mari et moi, passer nos loisirs ensemble. Il souhaitait avoir des soirées tranquilles avec moi pour avoir l'occasion de bavarder librement. Nous avons eu plus de possibilités, ces dernières années, malgré son travail et le mien. Ce qui n'empêche pas d'avoir également des activités de détente chacun de son côté pour voir des amis ou faire des choses qui ne plaisent pas forcément à l'autre. C'est tout de même si agréable de se retrouver tous les deux; pour moi ce "pour toujours" évoque cette longue suite de moments passés ensemble dans l'intimité."

Cette chance ne sourit pas également à tous. Le temps n'arrange pas toujours les choses. Il y a des unions de longue durée qui commencent à craquer; le "pour toujours" se met à peser étrangement aux épaules. Quand les vieux amis de la famille viennent voir ces époux-là, le repas devient l'occasion d'une lutte à couteaux tirés et les paroles amères fusent. Au bout de quarante cinq ans de vie conjugale, Dan et Edie sont affrontés au drame classique du nid déserté. La retraite a été un grand coup pour lui; il se sent inutile, livré à lui-même et n'ayant plus d'intérêt dans la vie. Il fait partie de ces hommes qui se sont donnés corps et âme à leur travail, dans une affaire commerciale, et qui sont perdus quand ils n'ont plus rien à faire. Il ne sait pas comment employer ses loisirs et ne parvient pas à se lancer dans une nouvelle activité. Il pense à réparer des postes de télévision ou à entrer dans l'immobilier mais rien ne lui sourit vraiment. Edie a eu plusieurs opérations, qui l'ont clouée longtemps à la maison mais à présent elle a retrouvé son dynamisme d'antan. Elle voudrait partir s'installer en Floride, il ne veut pas en entendre parler. Pendant des années, ils ont été absorbés par les problèmes que leur posaient leurs enfants et qui prenaient toutes leurs forces. Maintenant que les enfants se débrouillent tout seuls, que la retraite est venue, que la maison est vide, et qu'ils n'ont plus à faire face aux difficultés du passé, ils se retrouvent face à eux-mêmes or ils n'ont jamais eu l'habitude de ce tête à tête.

Ni Dan ni Edie n'ont appris à se connaître par d'autres moyens que par des querelles continuelles. Ils sont constamment sur le pied de guerre et tout leur est prétexte à se lancer à la tête ce qu'ils ont amassé de rancoeurs, d'incompréhensions, de jugements à l'emporte-pièce, tout au long de ces années vécues ensemble.

Leur union qui a tenu tant bien que mal pendant quarante cinq ans est en train de crouler. A présent qu'ils pourraient enfin profiter de ce qu'ils ont gagné par leur travail, leurs dissentiments, aspirations contradictoires, contradictions secrètes, se défoulent; ils boivent trop, ils s'épuisent en scènes parfois tragiques.

Ils semblent destinés à finir les années de leur vie commune en ignorant la paix et en s'observant mutuellement d'un regard chargé d'hostilité et d'amertume. Ils ont vécu si longtemps côte à côte qu'ils risquent d'être encore plus malheureux s'ils décident de se séparer ou de divorcer. Car il ne faut pas sous-estimer le danger pour deux époux d'une prolongation de cette vie quand la seule intimité qui demeure est celle d'une inimitié constante. Nous savons bien que tel peut être le sort des relations conjugales, qu'elles en viennent à se rompre ou qu'elles survivent en devenant destructives. Cela peut arriver au bout d'un an, de cinq ou même de vingt-cinq ou cinquante ans. Pourtant nous nous marions avec la conviction que notre union sera durable. Le "pour toujours" représente la durée idéale que nous associons à l'idée du mariage, même quand nous hésitons à le reconnaître. Récemment j'entendais une jeune mariée me dire: "Je me suis mariée en me disant que si 'cela marche, ce sera merveilleux, mais je ne pensais pas forcément que ce serait pour toujours', c'était trop aléatoire. Maintenant au bout d'un an et demi, je crois que cela durera toujours mais je n'aurais pas osé penser cela, dès le début."

"Je me suis mariée 'pour toujours' et même un peu plus, nous dit une autre. Je pense qu'une relation est durable si on est entre gens honnêtes envers eux-mêmes. Au début j'avoue que cette idée de 'toujours' me faisait un peu peur. Je croyais qu'il ne fallait avoir que cette idée en tête, tout faire dans ce but. Je vois les choses différemment après deux ans de mariage; je sais que dans cinquante ans, je roucoulerai toujours avec mon tendre époux, aujourd'hui, donc, je fais ce qui me chante. Je peux attendre mon cinquantième anniversaire avec patience parce que j'ai une foule de choses à faire avant. D'un autre côté, je reconnais qu'il y a un monde entre, dire que j'ai envie d'être heureuse avec mon mari pendant cinquante ans, ce dont tout le monde rêve, et dire que j'en suis sûre à cent pour cent. Ce n'est pas une *certitude* mais c'est quelque chose que je sens intuitivement."

On ne peut comparer le mariage avec une liaison ou avec une aventure d'une soirée; puisqu'il implique une durée qui va se compter en années pendant lesquelles notre union est appelée à s'approfondir, tout en favorisant notre épanouissement personnel, il ne connaît pas la même intensité émotionnelle que celle qu'on éprouve dans une relation de courte durée. Même si on tient compte de l'exaltation et de la richesse que nous apporte une brève rencontre, elle n'en demeure pas moins un point unique de notre continuum-temps, une perle brillante qui se détache sur le reste de la chaîne qui joint le passé au futur. Il est vrai qu'on *peut* tomber amoureux sur le champ. Il y a des êtres qui ont le coup de foudre par suite d'une sorte de magnétisme interne que n'expliquent, pour le moment, ni la chimie, ni la magie, ni l'ordinateur. La continuité de la relation amoureuse dépendra moins de l'intensité de cette attraction première que de la façon dont celle-ci résistera au temps. Seule la vie commune nous permettra de savoir si nous sommes capables de supporter les inévitables désillusions, de continuer à compter sur l'autre dans les moments de doute, d'angoisse, de facilité ou de chagrin et de respecter l'indépendance de notre compagnon ou compagne tandis qu'il ou elle mène son propre combat. La continuité dans le mariage nous donne le temps nécessaire à la maturation de notre amour; il s'affermira et pourra résister aux fluctuations, aux changements de saisons, aux caprices. Seul le temps, en nous mettant à l'épreuve, nous renseigne sur nos limites et sur la qualité de notre fidélité.

Nous apprenons à profiter du temps qui nous est donné pour progresser dans la compréhension de l'autre et de ses émotions. Elaine, une jeune femme bien de notre époque, remarque que "dans la vie d'un couple les relations sexuelles dépendent moins des circonstances ou de l'occasion. Quand je flirtais, je me lançais dans ce genre de relations faute de temps; je veux dire qu'on a tendance à prendre une décision précipitée parce qu'on ne sent pas, comme dans le mariage, qu'on a tout le temps devant soi. quand on est mari et femme, cela vient quand cela vient; on n'est pas obligé — comme au tennis — de faire une partie entière, on peut 'servir' quelquefois si on en a envie. On se sent finalement beaucoup plus décontracté."

Il faut du temps pour explorer les profondeurs de nos sentiments à tous deux. Une autre jeune femme nous disait: "Je trouve que nous sommes beaucoup plus intensément unis au fur et à mesure que les années passent. Cela ne veut pas dire que chaque jour on soit brûlant de passion; si on faisait un graphique on ne verrait pas un plateau constant mais il y a une progression que l'on constate au fil des années. Je crois qu'on arrive peu à peu à mieux exprimer ce que l'on ressent en profondeur; pour en arriver là il faut passer par des expériences émotionnelles de toutes sortes, pas seulement sexuelles. Je suis heureuse pour nous que nous ayons vécu ensemble assez longtemps pour que cela puisse se produire."

A la longue nous voyons notre conjoint transformé par ses expériences de vie. Comme le souligne le psychanalyste Lewis Wolberg: * "Vous êtes en relation avec votre conjoint de multiples façons, à différents niveaux: il est alternativement un partenaire sexuel, un égal, une figure d'autorité, la représentation symbolique d'un parent ou d'un enfant; vous pouvez aussi voir en lui une projection idéalisée de vous-même. Il faut parvenir petit à petit à se libérer de ces idéalisations, de ces désirs irréalisables. Le fait de vivre ensemble et de travailler à surmonter les blocages, qui peuvent subsister en vous et ralentir votre maturation, vous fait progresser personnellement. C'est la prise de conscience de cette évolution qui vous permettra finalement de vous connaître réellement." Voilà donc l'importance du facteur temps dans le mariage: il nous donne l'occasion d'évoluer et de mûrir. En vivant jour après jour ensemble, nous devenons chacun un être différent mais qui garde pourtant son identité. Comparable aux corps physique dont toutes les cellules se trouvent renouvelées tous les sept ans mais qui conserve en

---

*Le Dr Lewis Wolberg est le fondateur du Post graduate Center for Medical Health; il y exerce également les fonctions de membre du conseil d'administration. Clinicien et enseignant à la New York University MedicalSchool, dans le département de psychiâtrie.

gros le même aspect, le mariage nous offre à la fois permanence et changement.

Les mutations de la société nous affectent autant que les cycles de nos transformations personnelles. Je ne pense pas qu'il soit aisé d'indiquer comment fondre nos croissances individuelles dans la croissance du couple. La route est semée d'embûches dont la plus dangereuse est sans doute notre croyance que nos rapports avec le conjoint seront toujours idylliques. Or il y a sans cesse des difficultés. A condition que nous ayons conscience qu'il est souvent ardu pour les époux de concilier des phases d'évolution personnelle dont le rythme est différent, notre tâche peut devenir passionnante et bénéfique; il ne faut surtout pas perdre courage.

Le *changement:* n'est-ce pas le refrain qui revient sans cesse sur nos lèvres à notre époque? Tout change autour de nous dans les domaines scientifique, technologique, social; changements également dans les rapports entre les deux sexes, dans nos comportements, dans la vie de nos enfants par rapport à la nôtre. Mes parents eux-mêmes ont évolué au cours des ans, devenant plus réceptifs aux idées nouvelles, acceptant des attitudes qu'ils n'auraient jamais tolérées ou même imaginées possibles quand ils étaient plus jeunes. Cette faculté de changer, d'évoluer, manifeste à mes yeux la qualité, la solidité de leur union.

Terry est le type même de la jeune femme moderne, par son éducation, son mariage, sa famille et la façon dont elle s'est lancée dans une carrière exigeante: le journalisme indépendant. Elle a réfléchi à ce qu'elle voulait et a vu ses perspectives se modifier au fur et à mesure que les revendications féministes se faisaient jour dans notre société. "A l'université, nous raconte-t-elle, j'avais l'intention de devenir professeur de Français. Je l'ai été pendant un an, c'était très dur et je n'étais pas heureuse du tout. J'ai fini par avoir assez de jugeotte pour conclure que je n'étais pas faite pour cela. Ce fut mon premier échec; j'en suis sortie très ébranlée, je ne reconnaissais plus la fille que je croyais être. J'ai enfin pris conscience que je n'étais plus la même que lorsque j'étais étudiante."

Quand elle a changé son fusil d'épaule, elle était déjà mariée depuis deux ans et elle venait d'avoir un enfant. "Au début j'avais affirmé catégoriquement que je mènerais une carrière tout en élevant mes enfants mais j'ai découvert que j'avais changé d'avis; je désirais avoir les coudées franches pour mieux adapter ma carrière aux différentes étapes de mon existence. Quand mes enfants seraient plus âgés, j'aurais plus de temps libre et par conséquent je pourrais travailler plus et mieux. Je n'ai pas fini de chercher et de découvrir. Mes enfants ont deux et six ans; je ne sais où j'en serai dans dix ans mais je suis certaine que je ferai quelque chose. En fait je suis profondément convaincue que mon mariage me laisse absolument libre de faire ce que je veux. Si demain je décidais d'aller m'inscrire à l'Ecole de Médecine ou à celle de Droit, je me débrouillerais. Ce ne serait pas facile mais j'y arriverais. Et Gregory n'y trouverait rien à redire si cela correspondait à mon vrai désir. Je ne dis pas qu'il n'en ressentirait pas d'appréhension mais il s'arrangerait pour me faciliter les choses. Nous sommes conciliants et prêts à accepter mutuellement nos changements d'aiguillage. Nous sommes arrivés à ce stage où nous réalisons qu'il nous faut trouver le moyen d'accéder à notre épanouissement personnel contre vents et marées et nous essayons que notre mariage tienne le coup. Je crois que beaucoup d'hommes et de femmes de notre génération pensent comme nous."

Gregory juge que l'engagement le plus important dans le mariage est celui qui assure sa continuité "Sinon, dit-il, quel sens a le mariage? Vous n'avez pas besoin d'avoir recours à un contrat pour quelque chose qui, demain, n'existera plus. Vous prenez un risque car il ne s'agit pas dans ce domaine d'une réalité bien définie qui aura demain les mêmes caractéristiques qu'actuellement. Vous ne vous engagez pas à ne jamais évoluer, à rester statiques. Les gens ne restent pas identiques à eux-mêmes pendant vingt ans mais ce qui compte c'est que les deux conjoints vont évoluer, pas de la même façon bien entendu mais nous allons mûrir, chacun, tout en vivant ensemble; nous ferons cette expérience qui s'appelle vivre."

Combien de temps passez-vous ensemble? L'Américain moyen passe avec sa compagne —même constatation pour les Américaines — plus de temps qu'avec tout autre être humain. Mais il faut s'interroger sur la qualité de ces moments passés ensemble. On affirme que la moyenne des couples, sur tout ce temps, ne passe guère plus de vingt sept minutes par semaine à se parler d'eux-mêmes ou à s'entretenir d'autres sujets que les propos les plus banals concernant les nécessités de la vie courante. La quantité de temps importe moins que la qualité ou que la continuité. Est-ce la ration quotidienne de temps qu'on s'alloue mutuellement qui compte? Vous avez des époux qui vivent ensemble jour et nuit, qui sont présents physiquement l'un et l'autre au maximum et qui ont pourtant une qualité de présence des plus médiocres. Quel intérêt? Il y a une présence humaine là dans ce fauteuil, ce pourrait être n'importe qui d'autre. D'autres couples, qui passent relativement peu de temps ensemble, sont très heureux, très attachés l'un à l'autre.

George et moi, au cours des années, avons passé beaucoup de temps à travailler de compagnie. Cela a été bon et fructueux pour notre recherche commune et cela a contribué à affermir notre union. Pourtant je me demande si nous n'avons pas vécu trop de temps tous les deux. Aussi intimes que nous soyons, je constate que j'ai besoin aussi d'être seule de mon côté — cette aspiration est universelle

105

— pour me livrer à des activités qui n'intéressent pas mon mari, ou pour voir mes amis, ou pour travailler seule. Nous connaissons tous de ces périodes où nous désirons changer un peu d'habitudes, où nous ressentons le besoin de nous retrouver seuls.

Quoi qu'il en soit, il reste toujours du temps, une fois les tâches essentielles accomplies, métier, travaux de la maison, soins donnés aux enfants. Ce temps-là est à notre disposition, nous pouvons en faire ce que nous voulons. C'est en ce domaine que la qualité est plus importante que la quantité.

Lynn et son mari médecin Doug se voient très peu. En plus des heures passées pendant la journée dans un service hospitalier de grande ville, il est souvent de garde la nuit pour les urgences. "Si jamais il me plaquait, dit Lynn, je mettrais au moins une semaine à m'en apercevoir. 'Tiens! me dirais-je, nous sommes jeudi et je croyais qu'il revenait lundi à la maison.' " Ayant rarement l'occasion d'être ensemble ils s'arrangent pour que ces moments soient d'une qualité exceptionnelle, des moments de chaude intimité, de causerie cœur à cœur. "Il vient, il repart, mais je sais qu'à tel moment, il va revenir, il va me revenir donc il faut que ce soit des instants qui comptent. Je lui apporte l'air frais du dehors à lui qui vit confiné dans la salle d'opérations. Nous n'avons vraiment pas beaucoup de temps ensemble, à part les heures de sommeil; si nous avons dix heures par semaine, c'est beaucoup.

C'est la compagnie de mon mari que je préfère et, quand nous avons le choix, nous aimons mieux passer nos soirées tous les deux tranquilles. Mais il est convenu que j'ai droit à du temps libre que j'emploierai à ma guise sans avoir à me préoccuper des enfants; ce qui implique que quelqu'un d'autre s'occupe d'eux et c'est mon mari qui paie la baby-sitter. Je pense que beaucoup de maris ont tort de ne pas vouloir dépenser dix ou vingt malheureux dollars de baby-sitting pour permettre à leur femme de se libérer un peu. Qu'est-ce à côté d'une demi-heure de psychanalyste? Et le résultat est inappréciable en ce qui concerne la qualité des relations conjugales. Quant à nous, nous profitons aussi de ce temps de baby-sitting pour aller dîner au restaurant ou pour nous promener tous les deux."

Certaines personnes passent des moments d'intimité de haute qualité avec une confidente, une amie, un amant, et beaucoup **de temps de médiocre valeur entre époux**. Elles perdent sur les deux tableaux: avec les amis, il manque les autres éléments d'une relation conjugale et entre conjoints, la véritable intimité leur fait défaut. Bien sûr, il nous faut aussi consacrer à l'amitié une part de nos loisirs mais la vie conjugale en souffre si nous passons plus de temps avec nos amis qu'avec notre conjoint.

Le temps que les époux passent ensemble a différents visages. Il y a les instants passés à table du petit déjeûner; ceux qui se vivent dans l'intimité, dans une intimité physique ou spirituelle profonde et chaleureuse. Nous communions également dans l'histoire de nos familles d'origine et dans celle de la famille que nous créons du jour où nous nous marions. Ma vie conjugale, comme celle de mes parents fut un lent cheminement coloré successivement par les événements de l'existence; nous ne pouvons hâter le pas; on ne bâtit pas en un jour sa Maison du Mariage. Nous ne pouvons faire fond, avec assurance, que sur le moment présent et sur notre passé; devant nous se déroule la feuille vierge sur laquelle viendra s'inscrire le journal de notre couple. Si nous ne donnons pas au temps l'importance qu'il mérite dans le mariage, c'est nous qui en souffrirons. Notre mariage ne prendra ses vraies dimensions que gâce à sa durée et à la qualité des relations que nous aurons su tisser au jour le jour.

10

Responsabilités
au sein du couple

Les gens qui peuvent vivre sans aspirer à une intimité continue avec un autre être n'ont pas besoin de se marier. Ils peuvent se passer de cette union structurée par des rapports de réciprocité et d'interdépendance. Si vous refusez l'interdépendance, pourquoi donc vous marier?

Il fut un temps où l'interdépendance était surtout de caractère économique. Le mari allait au travail tandis que la femme vaquait aux besognes domestiques et soignait les enfants. A lui incombait le gain quotidien, à elle le foyer. D'un point de vue historique et anthropologique, le mariage était considéré comme l'institution nécessaire pour cimenter les liens et rapports réciproques entre les familles et les sociétés. Il assurait la protection de l'enfant, régularisait les besoins sexuels, pourvoyait à l'héritage et à la survie économique. Tous travaillaient ensemble; la famille était l'unité de production de base. La femme dépendait de l'homme pour des raisons économiques; l'homme dépendait de la femme pour la vie du foyer et l'éducation des enfants qui fournissaient une main d'oeuvre d'appoint. Avec le développement de l'industrie, la production ne fut plus assurée par les foyers et le mariage commença à changer. Les femmes furent introduites sur le marché du travail et la survie économique perdit de sa force contraignante sur l'institution du mariage. La pression économique sur et à l'intérieur du mariage changea avec les années et le jeu des interdépendances s'orienta vers la satisfaction du besoin d'expression de deux êtres unis par les liens du mariage. C'est alors que petit à petit prédominèrent dans le couple marié l'épanouissement personnel et la valeur intrinsèque des relations humaines. Ce qui manifeste le plus clairement les faiblesses d'une approche purement économique du mariage et l'importance dominante qu'y prend le besoin d'expression des conjoints est le fait que les femmes, malgré leur indépendance économique de droit et de fait, continuent à se marier. Et elles se marient poussées par une aspiration qui sera toujours la nôtre, à savoir l'aspiration à voir comblés les besoins émotionnels les plus fondamentaux. Engels fut le premier à affirmer que, lorsque les femmes subviendraient seules à leur propre existence, l'amour deviendrait la cause unique du mariage.

De nos jours notre interdépendance n'est plus strictement économique mais elle joue son rôle dans plusieurs domaines de notre vie commune: répartition des tâches, vie émotionnelle, vie sociale, éducation des enfants. Il existe une relation dynamique qui prend en considération les besoins de chacun et assure un échange constant. Cette interdépendance des époux à l'engagement initial. Ce n'est plus une force de coercition* extérieure qui seule cimente l'union mais bien plutôt une

* Ce remplacement de la force de coercition extérieure par une force de cohésion interne a été étudié en détail par Ernest Watson Burgess et Harvey J. Locke dans The Family: From Institution to Companionship (New York American Book Co 1945)

force de cohésion interne: amour, primauté de l'autre, intimité et complicité; passé, présent et avenir partagés; responsabilité vis à vis l'un de l'autre et vis à vis des enfants.

Le sens des responsabilités me paraît être le fil conducteur de tous les bons mariages que j'ai pu observer. Dans celui de mes parents il se manifestait par la sollicitude à l'égard de l'autre; j'ai fait la même constatation dans bien d'autres cas, chez de nouveaux mariés, dans des couples plus d'avant-garde. Se préoccuper de l'autre, s'assurer qu'il ou qu'elle ne porte pas un fardeau trop lourd, pour ce faire, équilibrer les travaux et les plaisirs par un partage; avoir le souci du bien-être de l'autre et des enfants; réconforter le conjoint dans les moments de difficultés et d'épreuve.

Comme le dit mon amie Paula Gould "Le mariage vous donne une intuition spéciale; quand vous rentrez à la maison à la fin de la journée et que vous vous retrouvez tous les deux, presque instantanément vous sentez qui doit avoir la priorité, qui a les problèmes les plus urgents à exposer ou qui a le plus besoin de réconfort et de chaleur; ce soir ce sera moi qui me tairai pour prêter une oreille attentive et qui t'aiderai... ou vice-versa. C'est cette aptitude à s'effacer par moments au bénéfice de l'autre qui joue un rôle important dans l'amour conjugal."

Notre engagement implique une délimitation et un choix de nos responsabilités réciproques. Pour cela il faut bien avoir en tête les conditions particulières dans lesquelles va se vivre cet engagement. Il peut se manifester par les devoirs à l'égard des personnes extérieures, par ce que les autres attendent de nous, maison, relations sociales, enfants. Aujourd'hui cependant, l'engagement conjugal s'oriente davantage vers des objectifs plus intériorisés: aspiration à un épanouissement personnel et **efforts pour y parvenir; choix à faire en commun du but qu'on veut atteindre ensemble et des moyens à employer;**

partage de nos goûts et de nos préoccupations. L'engagement que nous prenons de rester ensemble et de travailler à satisfaire toutes ces aspirations, en affrontant les obstacles inévitables, est subordonné à plusieurs conditions dont l'une est d'avoir le temps nécessaire pour cimenter cette union entre nous et pour approfondir notre connaissance réciproque grâce à des expériences variées.

Quand on se marie on renonce à quelque chose: à ces mille projets que l'on avait échafaudés, à ces chemins où l'on rêvait de s'engager et qui se ferment au fur et à mesure que l'on délimite les objectifs précis du couple. George et moi avons senti que ce sacrifice nous y consentions, pour pouvoir réaliser un rêve que nous avions en commun: une existence qui favoriserait notre croissance individuelle et notre sens des responsabilités. Evidemment la grande question est de savoir à quel degré de renoncement il faut consentir, à quel moment la responsabilité à l'égard de soi-même devient moins importante que celle qu'on a vis à vis de l'autre et du mariage. L'équilibre est délicat et nécessite de constants ajustements; il arrive aussi que nos diverses responsabilités se chevauchent.

Carole, une femme fort indépendante, exprime bien les ambivalences que beaucoup de jeunes couples ont à accepter: "La responsabilité que je me sens à l'égard de mon mariage est uniquement de devenir le meilleur être humain possible. *Libre* est un mot que j'affectionne, je veux être un libre individu. Je n'aime pas entrer dans la peau d'un personnage ni qu'on me distribue un rôle. Je n'accepte pas qu'on me donne des directives, quelles qu'elles soient. Il est très important pour moi d'avoir l'impression que je peux faire absolument ce que je veux. Je tiens à être moi-même. Mais il faut que j'accepte en retour que ma responsabilité à l'égard de mon mari exige que je lui donne entière liberté d'agir en être autonome, que je le laisse lui aussi être lui-même."

111

Il y a tout de même certaines responsabilités que nous ne devons pas assumer; ainsi il ne faut pas croire que nous soyons totalement responsables du bonheur de notre conjoint. Nous sommes responsables de notre propre bonheur, de nos sentiments et réactions, de nos actes et de la façon dont nous répondons aux diverses circonstances de l'existence à travers hauts et bas mais nous ne pouvons demander à notre conjoint de nous apporter le bonheur sur un plateau d'argent. Ce n'est pas un présent qu'il soit en notre pouvoir de donner à l'autre. Nous ne pouvons penser ou sentir à sa place; nous n'avons aucun contrôle sur sa vie intérieure. Bien sûr nous contribuons et pouvons contribuer à ce qu'il soit heureux; nous pouvons enrichir le fond commun de notre propre joie, créer une atmosphère de confiance et de tendresse qui aide au bonheur mais, si nous pensons que nous sommes seuls à détenir la clé du bonheur de l'autre, nous le privons de son identité. Qui plus est, si nous rendons notre partenaire responsable de notre bonheur, nous lui donnons pouvoir sur nous et nous renonçons à notre responsabilité d'être humain à part entière. Il est bien évident que certains de nos actes peuvent rendre malheureux notre conjoint, parfois sans que nous en ayons conscience, parfois de façon délibérée. Il peut nous arriver également de trop nous aplatir et d'être esclave de ses désirs sans pour autant réussir à le rendre heureux, jusqu'à ce que nous comprenions enfin que la source de son insatisfaction ne se trouve pas en nous mais en lui ou en elle.

Un chef d'entreprise de Californie, qui a très bien réussi dans sa carrière, me l'a expliqué un jour fort clairement. Il me parlait de ses deux mariages; son premier mariage avait duré le temps de ses études à l'Université et pendant qu'il suivait des cours de spécialisation. Tout le monde trouvait qu'il avait une épouse idéale; elle était tendre, aimante et l'idolôtrait. Elle avait fait tout ce qu'une femme peut faire pour rendre son mari heureux, travaillant très dur pour lui permettre de poursuivre ses études. Elle lui avait donné trois enfants. C'était une cuisinière hors ligne mais, en vérité, elle ne le rendait pas heureux. Il en venait à être écoeuré de sa dépendance sentimentale vis à vis de lui. Plus tard, ayant accédé à une situation très élevée, il rencontra une collègue qui assumait à merveille sa propre existence et qui lui donna, m'expliquait-il, une sorte de tremplin pour bondir encore plus haut. Elle l'aimait mais sans faiblesse ni fadeur et ne cherchait pas à faire de concessions. Il l'épousa en secondes noces. Quand elle eut un enfant, elle arrêta de travailler. Leur mariage prit une allure plus traditionnelle et il eut conscience qu'il faisait comme sa première femme: il cherchait "à rendre heureuse sa compagne". Ce fut un échec cette fois encore. Même dans le domaine sexuel où il se jugeait fort habile, leur union aboutissait à une complète faillite. Il s'était toujours targué de ses prouesses sexuelles, de sa compétence pour faire l'amour et amener sa compagne à l'orgasme, enfin pour lui faire goûter le summum du plaisir sexuel et sentimental. Or sa femme se refusait, restait frigide.

Un beau jour il comprit ce qui se passait: "Du jour où j'ai compris que je n'étais pas responsable si ma femme était heureuse ou pas, notre vie conjugale a commencé à s'améliorer. J'avais conscience d'avoir échoué avec ma première femme et de lui avoir gâché la vie et c'est pourquoi je m'efforçais de rendre ma seconde femme heureuse mais à mon idée: en grimpant un échelon de plus dans ma société, ce qui m'amenait à la tête d'un service important; en lui donnant un train de vie luxueux: domestiques, autos, vacances à l'étranger; en faisant des prouesses au lit. Et tout cela pour rien, elle était malheureuse et moi aussi. Finalement je l'ai prise à part et lui ai dit: 'Ecoute, ça ne peut pas continuer comme ça, nous nous donnons beaucoup de mal tous les deux pour rien. A partir d'aujourd'hui, je cesse de te faire porter la responsabilité de ma bonne conscience.'

Je ne dis pas que cela a été facile pour nous de changer de comportement. Elle a réfléchi, décidé de reprendre du travail et certaines activités qui l'intéressaient. Maintenant tout est plus facile; je ne dis pas que ce soit merveilleux mais cela marche et nous trouvons plus facile de nous aimer et de nous comprendre."

Si on ne peut nous tenir pour responsables du bonheur de notre partenaire, de quoi, alors sommes-nous responsables à partir du jour où nous nous marions? La plupart des gens répondront en termes de responsabilité économique: gagner la vie du foyer, entretenir la vie au foyer. Un mari dit: "Mes responsabilités sur un plan pratique consiste en ceci: je gagne l'argent nécessaire à la bonne marche du cirque, (je dis cirque à cause du côté plaisir et amusement); à la satisfaction de mes besoins personnels et des leurs." Et sa femme d'ajouter; "Et moi je m'occupe de mon mari et de mes enfants. J'ai beau être une très mauvaise maîtresse de maison, je suis là quand ils ont besoin de ma présence. C'est là ma responsabilité."

La fidélité dans le domaine sexuel est également souvent mentionnée comme une condition du mariage. De nos jours où les occasions d'aventures sexuelles hors mariage ont augmenté et où la contraception s'est largement répandue, la fidélité sexuelle, considérée dans le passé à la fois comme une obligation dans le mariage et comme un engagement souvent trahi, est devenue dans beaucoup d'unions un facteur d'importance vitale. La plupart des personnes la désirent et comptent dessus mais sans en avoir l'assurance. C'est une question que de nombreux couples ont à affronter et à régler dans leur cas particulier, quitte à réaffirmer qu'ils s'accordent à se la garantir.

Le fait que les rapports sexuels soient possibles, à la fois pour les hommes et pour les femmes dans d'autres contextes que celui du mariage, modifie notre façon d'envisager et de pratiquer la fidélité sexuelle. J'ai pu constater cependant que plus nous nous habituions à ces nouvelles idées de liberté sexuelle ainsi qu'à la façon de les aborder, et plus nos attitudes se libéralisaient à cet égard, plus en conséquence s'affirmait le besoin, pour de nombreux conjoints de ce garder l'un pour l'autre.

"Je ne pensais pas que la fidélité, c'était important", dit Connie, ou que nous la mettrions tous deux en tête de liste. Au début de notre mariage je savais que c'était important pour Paul mais, à mon avis, on pouvait accepter un certain laxisme pourvu que ce fût des deux côtés. J'étais sincèrement convaincue que, si Paul fréquentait une infirmière à l'hôpital cela ne me gênerait pas. Eh bien! Maintenant je sais que j'en deviendrais enragée. Cela signifierait que Paul n'est pas le garçon que je croyais et j'aime Paul. Tel que je le connais à présent, il ne ferait jamais cela mais, si cela lui arrivait, cela changerait bien des choses."

Certains êtres ne feront jamais ce choix de la fidélité sexuelle dans le mariage. Barry, un jeune cadre commercial, célibataire, nous dit: "Je suis très heureux de vivre seul. Je ne dis pas que ce soit le seul choix possible mais si je me mariais, je serais obligé de rogner mon espace vital, de renoncer à une certaine frivolité que j'aime: flirt, coucheries, jeux variés avec l'autre sexe. J'adore cela, les relations avec les femmes, mais uniquement sur ce plan-là. Je ne confonds pas cela avec des rapports plus profonds que j'ai pu avoir. Je suppose que je pourrais être fidèle sexuellement mais ce ne serait pas une chose facile pour moi. Il vient toujours un moment, au moins dans mon cas, où cela devient monotone. J'ai besoin de variété et de stimulation donc de changer de partenaire. C'est la raison pour laquelle je me demande comment je me comporterais, une fois marié."

Ce problème ne se pose pas uniquement pour des

hommes, tel Barry. Il se pose aussi pour des femmes comme Tina, encore célibataire. "Je ne suis pas persuadée que je pourrais vraiment me restreindre, sexuellement parlant, et me contenter d'un partenaire unique et permanent. Je pense que je tendrai à rester fidèle mais je ne peux pas affirmer d'emblée qu'il n'y aura jamais d'infraction à la règle. Avoir ce principe de fidélité en tête, je trouve que c'est bon parce que cela donne une base solide au mariage. Vous choisissez un partenaire et faites avec lui — ou elle — des projets pour l'avenir. Donc vous vous attendez à rester ensemble; c'est —à mon avis— une attitude positive. Vous savez que vous mettrez tout en oeuvre pour rester ensemble pourvu que cette vie ne devienne pas dégradante pour vous personnellement ou ne vous prive pas d'autres choses qui vous semblent importantes. D'un autre côté, du moins en ce qui me concerne, j'aurais vraiment des difficultés, peut-être même ce me serait impossible, de m'enfermer derrière des murs de protection et de dire 'jamais je ne me permettrai la moindre aventure extraconjugale.' J'espère du moins qu'à titre exceptionnel cela ne nuirait pas fondamentalement à l'union que j'aurais essayé de bâtir avec mon mari."

Cette expression concrète de la primauté de l'autre qu'est la fidélité sexuelle paraît une responsabilité trop lourde à accepter pour des gens tels que Barry et Tina. Barry ajoute même: "Si je me mariais je renoncerais à une sorte de liberté par rapport aux responsabilités; j'abandonnerais la possibilité d'agir spontanément selon mes désirs personnels."

La fidélité sexuelle n'est cependant qu'un aspect de responsabilités plus vastes que les gens d'aujourd'hui reconnaissent avoir envers l'autre. Tim respecte cette fidélité sexuelle à sa femme mais il estime encore plus importante la pratique du support mutuel. Il dit: "Ma responsabilité la plus importante dans mon mariage a été

116

de donner à ma femme la sécurité, une sécurité qui ne s'exprime pas en dollars et cents. Mary sait qu'elle peut compter sur moi, quelles que soient les tâches à accomplir ensemble, quels que soient les événements à venir. Je suis là pour lui redonner courage, pour lui donner mon appui dans n'importe quelle circonstance. Elle trouve en moi un ami, quelqu'un qui la comprend. Je ne comprends pas forcément tout mais j'essaie de comprendre. Elle, de son côté, se sent responsable de moi de la même façon; elle est pour moi d'une grande aide mais cela va plus loin: elle pense que si une activité me tente, je dois m'y lancer. J'ai caressé un moment l'idée de poursuivre mes études à l'Université pour me spécialiser, ce qui aurait signifié pour nous un changement total de style de vie pendant deux ans ou même davantage. Et elle m'a dit spontanément: 'Eh bien! C'est une bonne idée, si tu crois que cela te rendra heureux.'

Moi aussi, je lui laisse faire ce qu'elle a envie de faire, pas par indifférence mais parce qu'elle a droit à sa personnalité et que je ne veux pas étouffer ses ambitions. Si elle a une idée, elle la suivra; il m'appartient de la soutenir et de l'encourager comme elle le fait pour moi."

Une de mes amies d'enfance, mariée depuis près de trente ans m'a dit un jour: "Je trouve que nous avons le devoir de nous soutenir mutuellement dans n'importe quel domaine. Il y a un an j'ai eu opération sur opération et j'ai fini par avoir l'impression d'avoir perdu toute trace de féminité. Mon mari avait cette responsabilité de réussir à me faire sentir que j'étais encore très féminine, très désirable. Je crois que c'est grâce à lui si j'ai pu me remettre aussi rapidement. Il m'a laissé m'apitoyer sur mon sort pendant trois heures, un après-midi, parce qu'il avait compris que j'avais besoin de ce laps de temps pour ce genre de jérémiades: 'Pourquoi a-t-il fallu que cela m'arrive à moi?' Il me connaît mieux que quiconque sur cette terre, alors il a vu qu'il me fallait ce moment de faiblesse mais pas davantage." A bien des égards l'éventail de nos responsabilités conjugales s'est élargi, ces dernières années, bien que les récentes mutations aient pu nous faire croire que nous en avions largué un bon nombre. Un facteur qui a pris beaucoup d'importance dans le mariage actuel, c'est l'égalité des époux: égalité de chances en ce qui concerne la croissance individuelle et le rôle dans la société; égalité dans le respect dû aux besoins de chacun; égalité des voix dans les délibérations et dans la prise de décisions. Lors d'un cours que je faisais sur le mariage et la famille, un de mes étudiants me dit: "Je pense que la responsabilité de base dans un couple englobe le respect, l'amour et la communication, ce qui constitue un champ d'applications très vaste. En ce qui nous concerne, ma femme et moi, ce n'est pas le *devoir* de personne de faire ceci ou cela: nous ne déclarons pas: 'c'est toi qui feras toujours ce travail-là.' La plupart des tâches sont partagées, qu'il s'agisse de faire la cuisine, la vaisselle, le ménage, tout. Je pense qu'entre époux vous avez la responsabilité de vous arranger clairement entre vous pour que la vie soit possible."

C'est cet arrangement entre époux à propos de tout ce qu'on a à vivre que je considère comme un de ces nouveaux devoirs conjugaux. Dans les temps anciens nos rôles respectifs étaient définis par la tradition: la femme était chargée de telles tâches, le mari de telles autres; quant à la fidélité sexuelle, elle allait de soi. Aujourd'hui il nous faut convenir ensemble de la façon dont nos besognes vont se répartir; du style que nous allons donner à notre existence, à nos relations entre époux; des modifications que nous accepterons d'apporter à notre organisation, quand nous serons confrontés à la nécessité de changer.

Il faut également tenir compte de la multiplication de nos responsabilités extérieures à la vie du couple, celles créées par un un second mariage, enfants d'autres lits, rapports avec les ex-femmes et les ex-maris, sans oublier les problèmes suscités par le vieillissement de nos parents. Il fut un temps où ils étaient pris en charge au sein d'une structure familiale stable, dans le foyer de l'un ou de l'autre de leurs enfants. A présent que les appartements sont plus exigus, que mari et femme sont au travail avec des enfants à élever sans personne demeurant à la maison, de tels arrangements sont devenus impossibles. Les ménages sont aux prises avec la question difficile et angoissante de savoir comment faire avec des parents âgés qui ont besoin de soins vigilants, et ce à un moment où l'éducation des enfants fait déjà supporter des frais énormes.

Il est évident que ces charges alourdies exercent une forte pression sur les rapports entre époux et qu'ils sont peut-être la cause de bien des ruptures. Il y a cependant des couples qui résistent à cette épreuve. Peu importe que se modifie la répartition de nos tâches et que se définisse autrement notre responsabilité, notre amour se développe et se recrée à travers ces mutations et grâce à elles. Le philosophe Martin Buber* écrit: "L'amour est la responsabilité d'un *Je* à l'égard d'un *Toi*." Cela ne signifie pas que nous endossions cette responsabilité comme un fardeau ou que nous renoncions à notre responsabilité envers notre moi. Il parle de notre sollicitude et de nos égards pour l'autre quand il dit: "C'est grâce au *Toi* que l'homme devient un *Je*."

L'amour fait don à l'autre de l'espace dont celui-ci a besoin pour devenir lui-même. Par le mariage nous acceptons la responsabilité de nous engager à ce don réciproque d'un espace personnel, contribuant ainsi au développement de la personnalité de l'autre, grâce à

* La citation de Martin Buber est tirée de son livre I and Thou trad. par Ronald Gregor Smith (New York: Charles Scribner's Sons 1950) p. 28.

l'image de lui que nous savons lui renvoyer en toute confiance et vérité. Dans l'intimité partagée du couple, nous pouvons être nous-mêmes et aussi nous renouveler tout en gardant solide notre engagement. Cette responsabilité choisie et acceptée de nous chérir et de nous respecter tout au long du chemin où nous rencontrerons difficultés, tensions et joies et où le temps passé ensemble nous permettra de grandir personnellement et en tant que couple, cette responsabilité, dis-je, fera mûrir l'amour qui nous unit.

"Ma femme est mon meilleur ami, me disait un jeune homme, c'est à dire, quelqu'un qui vous encourage dans vos entreprises, avec qui l'on peut discuter de ses projets. Ce que je dis peut sembler un lieu commun mais l'amour, c'est important, savoir que quelqu'un vous aime; et vous, vous l'aimez en retour. J'aime ma femme et je sais qu'elle m'aime. C'est cela qui nous permet de faire tout le reste."

Comment définir cette complexe réalité que constitue cette relation des époux; qu'est-elle en vérité? "Savez-vous quelle réponse je ferais si on me posait cette question, me déclarait un éminent avocat du Middle West marié depuis plus de trente ans. Je dirais qu'on ne peut comparer le mariage à rien d'autre de connu: qu'à moins d'avoir un véritable attachement pour son conjoint, le mariage, je m'en garderais comme de la peste parce que vivre avec quelqu'un jour après jour, cela ne ressemble à rien de ce qu'on a pu expérimenter jusque là. S'il fallait que je m'explique là-dessus, je donnerais des exemples précis et spécifierais qu'on ne s'amuse pas tous les jours; mais si on est capable, au seuil du mariage, d'en envisager le déroulement au fil des années avec les images glorieuses, les évènements marquants, telle la naissance d'un premier enfant, ainsi que les images dramatiques, tragiques, qui ponctuent toute existence humaine à deux et si ensuite on a le courage de dire 'soit! j'accepte le tout', alors on peut se lancer dans la vie conjugale.

Et pour couronner ma démonstration je vanterais les bonnes années d'un couple, ce qui vous récompense de toutes vos peines: la période où les enfants sont grands, où leur éducation est chose faite. C'est d'ailleurs le test qui permet de savoir si l'union est bâtie sur du sable ou sur une fondation de granite. Quand un couple reste seul, mari et femme en tête à tête savent-ils s'ils ont vraiment quelque chose en commun et si le mode de vie en commun qu'ils ont choisi répond à ce qu'ils attendent. Je décrirais les joies de cette intimité; comme c'est bon d'entendre les voix des enfants le dimanche au téléphone; le charme des retours à la maison, des soirées aux chandelles tous les deux seuls en bavardant de ce qu'on a fait dans la journée et de ce qu'on a envie de faire pendant le week-end. Voilà le bon côté d'une existence passée ensemble et où l'on a partagé aussi les chagrins et affronté les coups durs.

Mais si on pense qu'on peut entrer et sortir du mariage à sa guise, alors mieux vaut se contenter d'une liaison ou d'une succession de coucheries avec des partenaires variés ou encore mieux, rester seul et sortir chaque soir avec des compagnes différentes. Quand vous vous mariez, vous prenez un engagement légal et moral vis à vis du conjoint. La responsabilité légale diffère d'une responsabilité occasionnelle dont on peut se départir quand on le désire. Dans le mariage, vous dites: 'Je suis d'accord pour accepter cela, j'assume cette responsabilité.' Le mot responsabilité est le mot clé de tous les mariages; la responsabilité vient en premier, la loyauté en second."

Nous pouvons édifier notre Maison du Mariage sur de solides fondations qui n'ont pas changé: intimité partagée, sens de la primauté de l'autre, temps, réseau de relations familiales, responsabilités ainsi que les conditions particulières propres à notre vie. Certaines fonctions du mariage ont changé mais nos besoins de base sont demeurés identiques. Nous avons toujours besoin d'affection, d'amour; nous désirons être payés de retour, être reconnus pour ce que nous sommes réellement; nous avons soif d'égards, de partage, de compagnonnage; nous avons nos exigences sexuelles. Nos styles de vie à deux peuvent différer de ce qu'ils étaient autrefois mais le mariage continue à nous donner ce sens d'une existence ordonnée, d'un rôle bien délimité. A une époque où les rapports entre humains sont souvent discontinus ou à court terme, il nous offre la continuité d'une expérience. Si précieuse que puisse être une amitié, elle n'est en rien comparable à la profondeur et à la continuité des sentiments conjugaux et elle n'englobe pas une telle richesse d'expériences partagées.

J'ai connu des amitiés qui remontent encore plus loin dans le passé que mon mariage mais de longues séparations les entrecoupent ou des changements de résidence et de vie les perturbent. Aucune ne m'a permis de nouer des liens aussi solides et durables.

Si on se laisse embarquer dans le mariage sans très bien savoir où cela nous mène, sans en connaître les fondements, on risque de se sentir pris au piège et l'on sera vite la proie des désillusions. Si nous ne nous mettons pas d'accord, au préalable, sur les bases fondamentales, sur nos perspectives communes, la synergie de la relation- qui croît proportionnellement à ce qu'on y infuse - n'existe pas. Au sein de cette réalité conjugale que nous créons, nous allons disposer d'espace et de liberté pour grandir ensemble et chacun de nous y apporte le trésor acquis au dehors de la même façon que, le soir, nous revenons au foyer riches de notre expérience quotidienne. Certains changements survenus dans notre vie peuvent altérer légèrement la structure que nous avons construite et la déséquilibrer temporairement jusqu'à ce que nous sachions lui redonner son aplomb, ayant compris que la liberté se voit toujours imposer des limites, que l'on soit marié ou célibataire.

Lorsque les deux partenaires savent sur quels fondements communs ils asseyent leur union et qu'ils sont conscients de l'engagement qu'ils contractent l'un envers l'autre, ils peuvent édifier la Maison du Mariage qui leur est propre; elle saura affronter les bourrasques des changements et leur offrir tout l'espace désirable pour un développement harmonieux.

11

En route

Nous étions assis en plein désert, les enfants jouaient non loin de là, à l'ombre d'un prosopis;* c'étáit il y a vingt ans; il faisait étouffant; nous étions découragés et abordions un moment décisif de notre existence, un point critique à la fois dans ce périple vers un point géographique précis et dans notre "voyage" conjugal.

Nous étions tombés d'accord en nous mariant que notre vie à deux serait aventureuse, projet évidemment fort romatique, mais ce rêve, comme tous ceux que l'on fait la veille de se marier, avait besoin de se confronter à la dure réalité quotidienne. Nous étions fauchés et notre rêve s'évaporait dans la sèche atmosphère du désert. Notre programme initial était de fuir loin de New York. Nous en avions par-dessus la tête de vivre dans une grande ville et de ne pouvoir faire le travail sur le terrain que nous voulions. George se sentait frustré dans un métier qui l'aliénait; il était obligé de faire d'incessants trajets dans un métro

* Prosopis: plante de la famille des légumineuses poussant en abondance dans les Etats du Sud-Ouest, au Texas, au Mexique. (N.d.T.)

bondé et ne voyait qu'à peine ses enfants. Sa thèse de doctorat était dans les limbes; il n'avait pas encore pensé à la possibilité d'enseigner. Nous n'avions plus de bourses pour nous livrer à notre passion pour l'archéologie; il ne nous restait plus l'argent qui lui aurait permis d'achever sa thèse. Quant à moi j'étais écoeurée par la routine quotidienne et par la difficulté d'élever deux enfants en ville.

Nous décidâmes donc de quitter New York, de prendre une année de congé pour vivre une vie d'aventure tant que les enfants étaient petits; ensuite nous nous installerions dans un endroit plus propre et plus sain. Nous avions économisé un peu; en outre je venais d'écrire un livre auquel il ne manquait que d'être accepté par un éditeur. Nous escomptions quelques crédits de ce côté et projetions également d'écrire des articles, peut-être même un autre ouvrage sur les avantages de faire retraite avec ses enfants au moment où l'on pouvait le mieux profiter de leur présence. Nous avions donc abandonné notre appartement, vendu les meubles, mis notre bibliothèque à l'abri et coupé les ponts derrière nous.

Nous voulions aller au Mexique où nous pourrions vivre à peu de frais, explorer et faire de l'archéologie, ce qui nous tenait à coeur. George me persuada de passer par la Californie pour avoir un avant-goût de ce qu'y était la vie puisque nous pensions nous y installer au terme de notre année d'aventure au Mexique. Nous traversâmes donc le pays en auto, nous arrêtant chemin faisant chez des amis, passant par San Francisco, campant sur la côte; notre argent filait aussi vite que les kilomètres. Nous achetions ce qui nous semblait indispensable pour notre séjour au Mexique. Nous quittions Los Angeles en direction du sud vers la frontière quand je reçus une lettre m'annonçant que, finalement, on ne prenait pas mon livre; donc pas de subsides à attendre de ce côté. Mon agent n'abandonnait pas la partie et gardait espoir mais c'était à présent que le besoin d'argent se faisait sentir.

Ainsi donc le point critique était atteint, à la fois sur notre route et dans notre esprit: allions-nous continuer vers le Mexique ou rebrousser chemin? Abandonner ou non notre beau projet? Il fallait tenir compte des deux enfants mais aussi de nos rêves et ambitions. Nous n'avions pas d'installation fixe et pratiquement pas d'argent. Même si nous avions voulu en emprunter, nous n'aurions pas su à qui nous adresser. Sur la route désertique, nous ne songeions pas seulement aux difficultés présentes mais à la vie qui se déroulait devant nous. Tandis que les enfants faisaient connaissance avec le désert, nous nous lancions mutuellement à la tête arguments et récriminations. Pourquoi George ne m'avait-il pas écoutée? nous aurions dû aller au Mexique tout de suite sans faire de détour par la Californie. George devenait le roi du gaspillage et moi, le dragon gardien du Trésor. J'aurais dû faire plus attention; ma contribution à notre budget? Il ne fallait plus y compter, quelle déception! Nous avions juste assez d'argent pour le trajet mais, une fois arrivés, nous n'aurions plus de quoi vivre. Nous pouvions atteindre le Mexique mais n'aurions pas le droit d'y travailler. Quitte à mourir de faim, mieux valait rester dans son pays que d'aller à l'étranger dans ces conditions.

Et la Californie? Avions-nous envie d'y retourner? Le pays était plaisant quoique la réalité nous eût un peu déçus. La vie y était fort chère. Nos amis habitaient des maisons de carton-pâte si proches les unes des autres qu'on entendait la chasse d'eau des voisins; ils faisaient près de quatre vingts kilomètres par jour pour faire les courses et aller au travail. Ils devaient faire des petits travaux en plus sans doute pour payer les frais d'essence. Ils avaient des ulcères à l'estomac. Etait-ce là la vie *meilleure* dont nous avions rêvé? Voulions-nous rentrer à New York, y retrouver les frustrations et l'assommante routine? Comment songer de gaîété de coeur à reprendre un mode de vie dont nous avions tant souffert pendant cinq ans?

Que faire au milieu d'un désert inhospitalier, quand votre beau rêve vient de voler en éclats? Ce rêve qui nous avait fait supporter la boue, la neige, la foule dans le métro. L'espoir de George que notre argent suffirait à nous offrir tout ce dont nous avions besoin, mon rêve de voir publier mon livre et d'en toucher une bonne somme; notre projet d'un avenir riche en expériences avec nos enfants; tout cela n'était qu'illusions! Brian choisit ce moment pour venir poser la tête sur mes genoux en disant "j'ai faim"; il transpirait à grosses gouttes. Quant à Michael il vint en courant nous montrer un hanneton qu'il venait d'attraper: " regardez, il est tout brillant!" Et ce-disant il ouvrit la main de son frère pour que l'insecte pût laisser une trace sur sa paume.

George et moi, nous nous regardâmes. Nous avions nos enfants; nous étions ensemble; que nous importaient nos rêves envolés, nos finances à sec? Nous nous mîmes à bavarder sans plus penser à nos récriminations, à notre précipitation, à notre manque de prévision. Puisque nous nous étions fourrés dans ce guêpier, nous saurions bien nous en sortir avec un peu d'imagination. Que voulions-nous faire, où voulions-nous aller? Ailleurs qu'à New York; nous voulions fuir décidément ce genre de vie qui nous avait tant pesé. Il nous fallait trouver un endroit calme où nous pourrions faire nos recherches en archéologie et anthropologie, tout en gagnant notre vie. Peut-être finirions-nous par retourner à New York... Et si l'on essayait tout de même la Californie? Tout n'était que points d'interrogation. Sous ce soleil brûlant, nous n'avions pas encore résolu nos problèmes mais nous recommencions à chercher ensemble la moins mauvaise façon de nous en sortir.

Ce fut alors que George se rappela soudain avoir lu, il y avait quelques mois, un article dans une revue d'architecture où il était question de nouveaux hôtels que de grandes chaînes hôtelières ouvraient à l'étranger. Or il a une formation d'ingénieur et une expérience du métier. "Si je travaillais pour une de ces chaînes, me dit-il, nous pourrions vivre en Amérique du Sud ou ailleurs; je gagnerais ma vie et nous pourrions faire nos recherches d'anthropologie pendant nos heures de loisirs." De mon côté je pourrais écrire un autre livre, peut-être sur nos expériences; l'idée était merveilleuse, il ne restait plus qu'à la mettre en oeuvre. Nos pauvres rejetons n'allaient décidément pas mourir de faim. Nous nous empilâmes, George, les enfants, les bagages et moi dans l'auto et reprîmes la route de l'est. George trouva finalement un travail qui nous fixa à Trinidad où l'on construisait un énorme hôtel sur une colline de Port-of-Spain. Nous étions ainsi à même de poursuivre nos chers travaux en anthropologie et archéologie dans un pays exotique, de climat tropical. Ce fut pour nous une période excitante et fort laborieuse, à l'issue de laquelle il fallut redécouvrir un autre style de vie après un nouveau débat sur le sens que nous voulions donner à notre existence et sur nos buts véritables.

Je vous parle là d'une décision importante que nous prîmes tous deux entre bien d'autres; nous la voyons avec le recul de deux décades. Nos buts, nos situations, nos points de chûte, ont si souvent changé et se sont si peu inspirés, en général, des normes sociales en vigueur que nous avons dû chaque fois nous arrêter, avant de prendre le virage, pour discuter ensemble de ce qui était important à nos yeux; il n'était pas question de se demander ce que les autres en penseraient mais de savoir ce qui avait signification pour chacun d'entre nous, en dehors du pain quotidien, de la famille, de nos relations entre époux et sans rien négliger de ces devoirs-là. Parce que nous avions plus de cordes à notre arc et donc plus de choix et de mobilité que nos parents, il nous fallait plus souvent chercher ensemble où ces choix allaient nous mener, quelles conséquences ils entraîneraient, quel était notre sentiment profond à leur égard, comment réagirait notre couple en telle ou telle circonstance. Mais nous étions plus capables d'affronter les hauts et les bas grâce à une meilleure connaissance réciproque et parce que nous nous soutenions mutuellement, toujours prêts à résoudre nos problèmes en collaboration.

Notre attitude n'avait rien d'exceptionnel ni de très remarquable; nous étions peut-être un tout petit peu en avance sur notre temps, c'est tout. Nous avions convenu au départ que notre vie serait aventureuse, que nous serions sur un pied d'égalité, qu'aucun de nous ne prendrait seul une décision concernant notre vie commune, que nous élèverions nos enfants comme des personnes à part entière. Telles étaient les données de base de notre mariage.

Mon mariage et ma vie n'ont ressemblé en rien à ceux de mes parents. Leur vie restait conforme à un modèle établi; George et moi avons choisi de suivre des voies fort diverses. Mes parents n'avaient pas beaucoup d'instruction et ils n'ont jamais changé de métier. Quant à nous nous avons interverti les rôles ou pris le relais quand la nécessité s'en faisait sentir; ainsi c'est moi qui faisais vivre la famille quand George était entre deux carrières ou deux situations et pendant qu'il préparait son doctorat en philosophie. Il a été successivement ingénieur civil, architecte, chercheur, paysagiste, anthropoloque, professeur, écrivain. Moi j'ai été secrétaire, statisticienne, artiste; j'ai travaillé dans une communauté, fait des recherches anthropologiques et écrit des livres. Chacune de nos deux familles d'origine a pu continuer à vivre auprès des mêmes amis, voisins, relations familiales. Nous, nous avons eu des amis dans tous les pays et dans toutes les classes de la société. Nous avons débuté notre vie conjugale à une époque où les rôles masculin et féminin étaient encore bien définis et l'avons menée à travers des années où tout a changé, aussi bien les rôles des époux que la conception du mariage.

Quand nous étions assis mélancoliquement en plein désert à nous demander ce que nous allions faire, c'était il y a bien des années et nous n'en étions qu'au commencement de ce long cheminement au cours duquel nous apprendrions à nous connaître de mieux en mieux. Quoique nous n'en ayons pas pris conscience à ce moment-là, nous nous appuyions en fait beaucoup sur les fondements de notre mariage pour prendre notre décision en ce moment critique: intimité, primauté de l'autre, continuité de la vie conjugale, paternité et maternité, responsabilités. Etant donné notre mode de vie, peu importait le rôle qui était dévolu à l'un ou à l'autre. Parfois c'est lui qui renoncerait à une partie de ses rêves, de sa liberté; parfois ce serait mon tour. Mais nous avions à sonder nos coeurs et à comprendre en vérité qui nous étions l'un pour l'autre et quelle signification avait pour nous notre mariage. Et nous nous sommes appliqués à cette tâche vaille que vaille, à pas trébuchants ou en courant, revenant en arrière uniquement pour découvrir vers quel nouvel horizon nous allions repartir à l'aventure.

J'ai souvent pensé aux prises de décision qui ont jalonné notre existence et celle de mes parents. Leur confiance mutuelle avait pris corps dans une vie quotidienne faite d'habitudes et dont le cours régulier ne suscitait aucun comportement imprévu chez les conjoints. Leurs décisions, même importantes, étaient de portée limitée. Les crises traversées ne laissaient que peu de changements visibles dans leur vie, si on les compare aux modifications radicales que la nôtre a subies au cours des années. Les prises de décision sont une nécessité absolue dans toute vie conjugale, surtout au sein d'un monde où tout bouge: décisions concernant l'endroit où nous allons vivre; le mode d'existence que nous choisirons; le partage entre le domaine public et celui de l'intimité; la répartition des rôles: qui fera vivre le foyer, qui en assurera la bonne organisation, qui s'occupera des enfants? Il faut tenir compte aussi de notre condition physique quand il s'agit de concilier l'épanouissement personnel, le rôle social, les relations entre époux, les tâches de parents.

Rappelons-nous que nous assumons ces choix en tant qu'êtres humains qui avons besoin l'un de l'autre et qui avons choisi pour cette raison de vivre ensemble. Apprendre en quoi consistent nos besoins profonds, c'est une autre affaire. Nous avons peur de les voir en face, peur d'admettre que nous sommes des créatures imparfaites, vulnérables, avides. C'est seulement maintenant, après plusieurs années de mariage, que je prends conscience des masques que nous portions tous les deux pendant nos premières années de vie conjugale: nous tenions à l'image idéale que nous nous étions fabriquée de notre moi et de celui du conjoint et nous cachions derrière nos doutes et nos angoisses, comme si nous proclamions par bravade: "Nous n'avons peur de rien ensemble, je serai digne de toi et toi de moi, partons à la conquête du monde." Nous sommes tout de même arrivés à de bons résultats mais c'eût été plus loyal, plus facile dans l'ensemble, et aussi passionnant, si dès le début nous avions eu la simplicité de reconnaître ce dont nous avions besoin. Il est déjà malaisé de s'avouer à soi-même combien on est dépendant d'autrui; que dire alors de la difficulté que l'on éprouve à le confesser à quelqu'un. On hésite à dire: "J'ai besoin de toi", on a peur d'être entraîné invinciblement à trop compter sur l'autre donc à devenir trop dépendant de lui.

Je ne veux pas m'accrocher à l'autre ni le sentir accroché

à mes basques quand il est important pour lui ou pour moi d'être libéré pour un temps de notre interdépendance. Ceci étant, puisque je suis un être humain, je ne peux me *passer* d'autrui; j'ai besoin de mon compagnon lorsque je me sens déprimée; lorsque je m'aperçois que je réagis au présent sous l'influence des blessures d'autrefois — il m'aide alors à revoir les choses sous un nouvel aspect —; lorsque j'ai peur de plonger dans des eaux inconnues, par exemple au moment de prendre la parole en public ou de réaliser une nouvelle idée. J'ai besoin de temps en temps de pleurer sur son épaule.Enfin et surtout, j'ai besoin de sentir que je réponds à ce qu'il attend de moi.

Si je n'exprime pas à mon mari ce dont j'ai besoin, comment le saura-t-il? Il n'a pas en sa possession de boule en cristal pour lui révéler ce que sa femme attend de lui bien que trente ans de vie commune lui permettent souvent de percevoir mes états d'âme et que nous devinions facilement les pensées de l'autre.

Répondre aux besoins de notre conjoint ne signifie pas qu'on fera son travail à sa place. Quand il m'a fallu retourner à l'école à quarante ans bien sonnés pour m'initier à la statistique, je m'attendais à ce que George vînt à mon secours et m'aide à y voir plus clair. J'avais vraiment besoin de son aide mais il a refusé, disant qu'il n'en savait pas lourd lui-même sur le sujet et qu'il avait, cet été là, ses propres travaux de recherche à mener à bien. J'ai eu le sentiment qu'il me lâchait. Mais à présent j'ai conscience qu'il m'a rendu service; j'avais besoin d'affronter ma crainte de l'échec et de la dominer; c'est ce que j'ai fait par mes propres moyens. Et moi, j'ai essuyé ses reproches quand j'ai arrêté de taper ses manuscrits et ses rapports. Il m'a dit que je laissais tomber au moment où il avait le plus besoin de moi et que je ne tenais aucun compte de ses difficultés, de sa psychologie. Mais je sais lui avoir rendu service; il a vu qu'il était tout à fait capable de surmonter ses difficultés et de faire lui-même ce travail. Qui plus est, il s'est mis à apprécier davantage le zèle et l'obstination avec lesquels je m'appliquais à ma tâche personnelle.

Je puis répondre à certaines de ses aspirations, pas à toutes, et je ne suis pas tenue d'y répondre. De même que lui n'est pas obligé de satisfaire toutes les miennes. Certaines de nos aspirations ne peuvent être satisfaites que par nous-mêmes. Il y a des problèmes que nous sommes les seuls à pouvoir résoudre. Ce qui n'empêche pas que nous avons tous besoin de temps en temps de nous faire consoler, de trouver auprès de notre partenaire le réconfort, la tendrese qui nous rassurent, nous redonnent confiance et allègent notre sentiment de solitude.

Ce que chacun de nous attend de son conjoint varie selon les couples et selon les périodes de la vie. Souvent nous cherchons simplement à être appréciés, à sentir que l'autre nous comprend et est proche, comme s'il nous disait: "Ne crains rien, je suis là, tout ira bien." Plus nous travaillons à nous rapprocher du but que nous nous sommes fixé, plus nous cherchons à assumer pleinement toutes nos responsabilités et à approfondir notre connaissance réciproque à travers épreuves, échecs, succès, et plus notre amour croît. Nos liens deviennent plus forts chaque fois que nous acceptons l'échec, que nous venons à bout d'une difficulté, que nous partageons une petite joie. Plus vite nous arriverons à exprimer nos besoins, plus vite nous découvrirons le moyen de les satisfaire, que ce soit par nos propres moyens ou avec l'aide de l'autre. Plus nous permettons à nos imperfections de se faire jour et plus nous créons de possibilités de nous en délivrer. Si j'accepte vraiment George tel qu'il est et moi telle que je suis, je nous donne plus de chances de grandir, de nous libérer des vieilles habitudes, de nous rapprocher.

Certaines de ces prises de conscience me sont venues par

le biais d'expériences pénibles, certaines par l'étude de la psychologie et notamment celle des besoins émotionnels. C'est en progressant tous deux vers une plus grande égalité, une meilleure connaissance de soi, un niveau plus haut de conscience, que nous avons découvert de nouveaux aspects de la vie, des horizons plus vastes. Nous avons été amenés ainsi à reviser un certain nombre d'apriori au sujet des relations. Le mouvement féministe fut l'occasion pour beaucoup de femmes — dont moi — d'acquérir une nouvelle vision des choses ce qui n'alla pas sans désillusion pour certaines qui furent obligés de réfléchir à leur expérience personnelle du mariage. Pour d'autres au contraire ce fut la révélation de leur valeur véritable.

J'ai écouté la litanie des inégalités dont les femmes étaient victimes, et les diatribes contre l'ingratitude des tâches domestiques. Je n'y ai rien appris de nouveau, n'avais-je pas entendu ma mère se lamenter souvent: "Le travail à la maison est toujours à recommencer". Pourtant je ne trouvais pas que c'était si *ingrat* que ça. Ma mère avait beau répéter ce refrain, elle le disait toujours sur un ton plein d'entrain en passant le chiffon à poussière sur les meubles ou en jetant un regard de satisfaction sur la famille attablée devant les assiettes fumantes. Les tâches ménagères, c'était un aspect de la réalité qu'on avait à vivre quotidiennement. Il fallait s'en acquitter aussi efficacement que possible pour pouvoir ensuite passer à d'autres occupations. De plus j'ai vu aussi beaucoup de monotonie et d'ennui dans le fait d'aller au travail chaque jour, de se lever tôt, de bourrer le poêle avant de se diriger vers le bureau ou l'usine. J'ai fait les deux avant de me marier.

J'ai toujours trouvé très injuste que, dans certains couples, le mari ne lève pas le petit doigt pour aider aux besognes ménagères. Bien sûr il m'est arrivé aussi d'accepter, sans me poser trop de questions, de me charger de ces tâches comme me revenant d'office, bien que George m'ait toujours secondée. Puisque nous avons beaucoup vécu sous la tente, nous avons eu tendance à continuer un peu le même style de vie, une fois sédentaires. Nous nous partagions la corvée de la vaisselle, du bois et autres travaux. Par ailleurs quand nous avons vécu en ville et qu'il partait travailler chaque jour tandis que je restais à la maison, je jugeai équitable de me charger des besognes ménagères. J'ai compris que ce n'était pas ces tâches qui étaient mises en question mais bien plutôt le fait de les étiqueter "tâches spécifiquement féminines."Le féminisme m'a alertée sur ces découvertes qui maintenant sont passées dans le domaine public: les moindres ambitions de carrière pour les femmes; la manière dont on cherche à stopper leur avancement dans le monde académique et politique; la position de subordination où on les maintient, leur condition de second ordre dans la société; l'exploitation dont elles ont été toujours les victimes. Je lus tous les ouvrages, me rendis aux meetings; je dois au mouvement féministe une plus claire conscience de ces problèmes. Ce qui attira particulièrement mon attention, ce fut l'inégalité foncière de la condition féminine dans le mariage et le poids d'une mentalité essentiellement masculine sur nos lois et nos structures sociales. A l'exception de la pension alimentaire pour la femme divorcée et de l'aide fournie pour l'éducation des enfants, la loi accorde plus de droits et de privilèges aux hommes qu'aux femmes dans l'institution du mariage.

J'ai ensuite essayé de faire le rapprochement avec mon propre mariage. Y avait-il un rapport entre les injustices déconvertes et ce que je vivais auprès d'un mari aussi respectueux de la justice que George? Les oppressions n'étaient pas visibles dans notre union. Je compris peu à peu que cela me concernait moi-même, nous tous, mariage, situation etc. Je pensai aux situations que j'avais occupées et où je pouvais voir autour de moi les hommes grimper plus vite aux postes intéressants, et mes égaux en responsabilités et qualifications mieux payés que moi. Parce que j'étais à la fois une femme, une épouse et une mère, il m'avait fallu renoncer à certains beaux rêves de carrière et les remettre aux calendes grecques. A ce moment-là, cela ne m'avait pas semblé choquant mais à présent j'avais les yeux ouverts et je me rendais compte que je n'avais pas digéré si facilement que cela cette déconvenue; je sentais une certaine nostalgie pour ces aspirations que la vie ne m'avait pas permis de satisfaire. Il était bien évident que je n'avais pas eu droit aux mêmes avantages, aux mêmes chances que les hommes mais sur qui fallait-il rejeter la responsabilité? Sur les hommes en général, sur la société? Certainement pas sur mon mari qui m'avait constamment encouragée et aidée en toutes mes entreprises. Si ce n'était pas *mon* mariage qui était en cause, était-ce le mariage en général? Je vis alors plus clairement comment notre système culturel, croyances et comportements, nous avait véritablement mis en condition et fait adopter cette injuste répartition des rôles et cette conduite codifiée qui nous enfermaient dans une fausse conception de la vie conjugale.

Ce n'était pas l'institution conjugale en elle-même qui était à blâmer mais la théorie prévalente* qui attribuait certains droits aux époux pour les refuser aux épouses. Il

---

* Cette intuition personnelle est à la source des suggestions faites par nous afin que plus de souplesse et d'ouverture se fassent jour dans le mariage et que celui-ci puisse offrir à chacun des conjoints égalité et épanouissement personnel. Notre conception de "Mariage Open" (op. cit.) repose essentiellement sur notre conviction que la personnalité individuelle peut être et est un agent de transformation puissant au sein de l'institution. Nous avons exposé notre théorie dans un article intitulé: "Open Marriage: A Synergic Model", The Family Coordinator (Vol. 21 No 4 Octo. 1972) pp. 403-409.

fallait garder la tête froide et une vision nuancée des choses pour exposer quelles avait été les conditions antérieures du mariage et pourquoi il en avait été ainsi, plutôt que de s'inspirer des idées destructives des féministes pour prêcher ce qu'elles auraient dû être.

Je méditai sur ma vie, mon mari, mes enfants. Pendant un certain temps j'eus une attitude ambivalente à l'égard de ces années où j'avais passé tant de temps à m'acquitter de mes tâches ménagères et où j'avais peut-être manqué de bonnes occasions professionnelles mais je savais pourtant, tout au fond de moi, qu'il y avait eu du bon, beaucoup de bon. J'avais accepté bien des principes traditionnels mais pas tous, loin de là! Je gardais présents à ma mémoire les fondements sur lesquels nous avions convenu de bâtir notre union et il me fallait reconnaître que, dans les décisions que nous avions dû prendre à propos de ce que nous allions entreprendre ou de l'endroit où nous nous fixerions, c'est toujours mon avis, mes souhaits, mes désirs, qui avaient prévalu. Mes enfants n'avaient en rien entravé notre liberté puisqu'ils avaient suivi. De plus nous n'avions jamais manqué de parler ensemble des questions qui nous intéressaient et de nous communiquer nos découvertes qu'il s'agît des êtres humains rencontrés ou de nos recherches en anthropologie.

Compte tenu de tout ce que ces années m'avaient apporté de précieux, je ne pouvais tout de même pas me considérer comme une victime du mariage ou de la maternité. Non, ma vie avait été trop savoureuse, excitante, intéressante, pleine d'amour et de rencontres fructueuses pour que je me plaigne d'avoir subi le sort d'une épouse opprimée. Nous avions choisi d'avoir des enfants assez vite; cette décision commune et le système social existant à cette époque nous avaient forcés à nous débrouiller tant bien que mal. Du fait de notre engagement conjugal, nous nous sentions des responsabilités l'un vis à vis de l'autre mais nous étions des adultes et en tant que tels nous pouvions mener notre propre combat quand besoin était. Mais quand on a des enfants, des responsabilités d'un nouveau genre vous incombent. Votre partenaire peut survivre sans que vous vous occupiez de lui; vous n'êtes pas responsable de son existence, de sa croissance, de son bien-être au même titre que vous l'êtes en ce qui concerne vos enfants. Les parents peuvent cesser d'être des partenaires mais les enfants ne peuvent se passer d'eux pour vivre.

Etant donné que j'ai eu mes enfants dès le début de notre mariage, je n'ai pas eu à affronter les conflits entre carrières et tâches maternelles qui surviennent dans la vie de bien des femmes d'aujourd'hui. Beaucoup ont à choisir: peuvent-elles ou non concilier les exigences de leur carrière et celles de la maternité; sinon pour quelle alternative opteront-elles? Cumuler les responsabilités familiales et celles d'une profession dans un monde du travail hautement compétitif est souvent une véritable gageure aussi certaines femmes doivent-elles remettre à plus tard la naissance souhaitée. Or ce "plus tard" est étroitement limité par la biologie féminine. Qu'est-ce qui va passer en premier pour elles? Comment peuvent-elles mener tout de front? Certaines s'en tirent par des prouesses d'acrobatie, d'autres font face avec succès. De nos jours c'est certainement plus facile que de mon temps. Néanmoins il faut suffisamment d'argent et la collaboration du mari ou d'autres personnes pour que les enfants n'en pâtissent pas. Le choix est difficile et épineux* même dans

---

* Dans un exposé fait au Congrès annuel des Groves Conference on Marriage and Family à Dallas, Texas, en 1972, nous suggérions les divers moyens que l'on pourrait mettre au service des familles pour faciliter une plus équitable répartition des tâches entre conjoints et des responsabilités parentales. Cf. notre article intitulé: Open Marriage: Implication for Human Service Systems " The family Coordinator (Vol 22, no 4, Oct. 1973.) pp. 449-456.

l'organisation actuelle de la société. Il faut aux époux beaucoup de volonté et d'ingéniosité pour parvenir à faire marcher de pair une profession à plein temps et une famille.

Je pense pour ma part qu'une fois les enfants mis au monde, ils doivent prendre le pas sur presque tout le reste. Je ne dis pas à l'exclusion de tout le reste, à savoir les divertissements nécessaires, la poursuite de notre évolution personnelle et de nos recherches, la primauté de notre conjoint, mais ils doivent avoir la place importante dans les décisions concernant l'orientation de notre vie. Si nous avons décidé de mettre des enfants au monde-ce qui aujourd'hui est un choix *délibéré* - c'est que nous sommes responsables en premier. Ils sont là parce que nous en avons ainsi décidé et attendent de nous que nous les modelions avec tendresse et sollicitude. D'ailleurs ils sont avec nous pour si peu de temps.

Si je m'étais douté, en ces lointaines années, que le temps s'envolerait si vite et que les étapes de croissance des enfants sont chacune si éphémères - quand nous les portons dans les bras, qu'ils se blottissent sur nos genoux ou batifolent autour de nous - j'aurais encore plus savouré la moindre minute, consciente qu'ils allaient évoluer à une rapidité vertigineuse. Moments merveilleux que l'on ne retrouve jamais. Plus la vie se prolonge, plus restreinte en est la part consacrée à l'éducation de nos enfants.

Je fus amenée dans la suite à réaliser bien des projets caressés pendant ces premières années et je puis dire que l'expérience acquise auprès de mes enfants m'a été d'une inappréciable utilité. Je suis convaincue que nulle autre tâche ne peut nous apporter autant d'occasions d'émerveillement, de découvertes; aucune ne peut éveiller en nous une telle richesse de sentiments contradictoires, angoisse, joie, humilité, échec, culpabilité, béatitude... Une main potelée qui se glisse avec confiance dans la vôtre, une feuille que l'on vous apporte tel un trésor; les paroles d'un bébé de trois ans dont la sagesse profonde vous éblouit; les questions surprenantes auxquelles on s'efforce de trouver une réponse, par exemple: "pourquoi la lune, elle est orange?"

Ce sont mes enfants qui m'ont donné un regard neuf quand j'ai essayé de voir avec leurs yeux étonnés et extasiés des objets ou des spectacles dont la routine m'avait masqué la beauté. La vie auprès d'un enfant nous fait comprendre mieux combien unique est chaque être humain et que nous avons chacun à suivre notre propre chemin. J'ai découvert en moi des facultés dont je ne soupçonnais pas l'existence et qui se sont révélées, au fur et à mesure que j'avais à me mesurer avec les différentes personnalités de mes enfants, avec la diversité de leurs réactions. Je me souviens encore de mon émerveillement devant certaines prouesses de leur imagination et de leur compréhension.

Ces expériences de parents et d'époux, avec toute leur richesse émotionnelle et toutes leurs incidences sur le plan pratique, nous ont permis à George et à moi de progresser en tant qu'individus et en tant que couple.

Je ne dispose pas uniquement de ma propre expérience d'épouse et de mère, j'ai eu maintes occasions de m'entretenir avec des hommes et des femmes de toute catégorie au sujet de leurs sentiments et de leurs plus ou moins nombreuses années de vie conjugale. Ils m'ont parlé de leurs luttes pour parvenir à connaître leurs propres aspirations, des idées dont ils s'étaient inspirés et de l'évolution de ces idées au fil des mois. J'ai été témoin des batailles sur le front domestique; des mutations dans le domaine professionnel; dans le lit conjugal; dans toutes les sphères d'action où hommes et femmes cherchent à s'adapter aux nouveaux idéaux d'égalité.

Nous en sommes venus à penser qu'une certaine ouverture dans la mentalité des conjoints, permettant à chacun de trouver son épanouissement personnel et de prendre appui sur cette individualité en progrès pour édifier d'un commun accord la personnalité originale du couple, garantit la meilleure voie à suivre pour assurer la solidité d'un mariage. Dans "Mariage Open" nous suggérions plusieurs manières possibles d'accéder à l'égalité recherchée, et ce grâce à l'ouverture mutuelle, à l'intimité partagée, et à une meilleure compréhension du besoin de grandir du partenaire.

Pour nous le premier sens de cette expression de "mariage open" était et demeure *l'ouverture* réciproque des partenaires à *l'intérieur* de l'engagement conjugal. Une intimité plus profonde, une sollicitude mutuelle, une confiance qui croît grâce à la façon dont deux êtres s'ouvrent en toute vérité l'un à l'autre, toutes ces conditions permettent de résister aux inévitables pressions tant intérieures qu'extérieures qui surviennent dans un mariage. Comment pourrions-nous connaître nos aspirations à l'un et à l'autre si nous ne pouvons nous dire franchement ce que nous ressentons dans le climat de sécurité et de tendresse que nous offre le mariage?

Un second sens est l'ouverture au changement. Mais même quand les gens veulent changer, il n'est pas facile de briser les vieilles habitudes, d'avoir le courage de vivre en accord avec nos nouvelles convictions, de mettre en oeuvre la nouvelle connaissance de nous-mêmes, de braquer sur nos relations entre conjoints la lumière plus vive qui vient de nous être donnée. Bien des gens n'ont aucune envie d'une plus grande intimité, d'une plus franche ouverture. Ils se sentent en sécurité dans un statu quo traditionnel et familier. Mais les mutations de la société, au sein de laquelle nous vivons, ne manqueront pas tôt ou tard d'altérer cet état de fait. J'estime que la connaissance et la confiance mutuelles, favorisées par l'ouverture des époux l'un à l'autre, nous aident à acquérir la souplesse dont nous

141

avons besoin pour frayer notre route à travers les nouveaux obstacles, les nouvelles mentalités, qui se présenteront à nous.

Rappelons-nous cependant que le mariage, en dépit de toutes les "ouvertures" qu'il permet, doit rester le lieu d'un lien d'amour très solide, d'un engagement durable. Les plans de notre Maison du Mariage peuvent se présenter sous des aspects très divers, incorporer de nouveaux éléments en même temps que des anciens ou remplacer le vieux par le neuf; il importe, pour que la maison soit solide durablement, qu'elle repose sur les fondations qui, de tout temps, ont soutenu l'union de l'homme et de la femme.

12

Hommes et femmes

Dans la Maison du Mariage cohabitent deux individus - un homme et une femme — qui se distinguent l'un de l'autre par le sexe, l'éducation, le tempérament et les aspirations.

Homme et femme; la nature les a faits complémentaires, les deux sexes confluant par le Yin et le Yang pour aboutir à un tout, à un être complet, dont les deux éléments ont été réunis par le mariage. Ils semblent être ces deux moitiés, dont parle Platon* qui autrefois formaient une créature que Zeus a coupée en deux et qui désormais errent sur la terre à la quête l'une de l'autre. "Le désir de l'autre que nous portons en nous et qui nous pousse invinciblement à refaire l'unité primitive de notre nature - de deux éléments n'en faisant plus qu'un -, ce désir est si ancien que chacun de nous, séparé de sa moitié complémentaire et ressemblant à un poisson plat à une seule face, n'est que l'ébauche d'un homme et part toujours en quête de l'autre moitié."

C'est une splendide image que cette vision de l'homme et de la femme comme parties d'un seul tout!... "et le désir et la quête de ce tout s'appelle l'amour."

---

* L'image de Platon est plus compliquée qu'il ne paraît dans la citation tronquée que j'en fais. V.Dialogues de Platon.

C'est vrai en partie. L'acte d'union physique est une fusion exquise de nos *différences* et elle procrée. Nous sommes différents: homme et femme, époux et épouse, père et mère, mâle et femelle, masculin et féminin. En théorie dans une vision idéale, le mariage dépasse la réunion des deux éléments pour aboutir, au royaume des essences qui ne connaît pas le sexe, à une fusion transcendante où s'effacent les différences, où se mêlent intimement les émotions et les qualités des deux égos. Le mariage a toujours été célébré comme le triomphe de l'amour et de la compréhension mutuelle sur la différence des sexes et tel il demeurera à jamais.
il demeurera à jamais.

Quels obstacles viennent-ils donc nous empêcher d'accéder à cette unité réelle si rarement accomplie? Outre le fait que deux créatures humaines peuvent difficilement fusionner totalement, on peut avancer que le tort en est, en grande partie, aux rôles masculin et féminin que nous ont imposés civilisations et traditions anciennes.

Un psychologue écrit:* "Les rôles sexuels qu'ont joué hommes et femmes sont fonctionnels et complémentaires. Si l'un est dominant, l'autre sera soumis; si l'un est actif, l'autre sera passif; si l'un est indépendant, l'autre sera dépendant et ainsi de suite: non émotionnel-émotionnel; isolé-communiquant; silencieux-bavard; fort-faible; grand-petit. Ce modèle de complémentarité a servi de base fondamentale à la conduite du mâle et de la femelle dans notre société et celle du monde occidental, pour ne pas mentionner une très grande partie de l'humanité."

La complémentarité peut être une base utile pour établir

*La citation est prise dans l'ouvrage du Dr Bary Certner: Sex Roles and Mental Health: A Proposal for the Development of the Sex Roles Instit. Copyright: Barry Certner (published and supported by a grand from the Psychiatric Institute Fondation of Washington, D. C. 1976) Chap. II p. 26

une relation mais, ainsi que les féministes et d'autres l'ont montré, les femmes ont été considérées par la tradition comme la moitié négative de l'équation.

Les hommes agissent, stimulent, protègent; les femmes sont des créatures passives, qui manifestent leur sensibilité, prennent soin du foyer et de ceux qui y vivent, et elles sont responsables de la réussite du mariage sur le plan sentimental. Cette sorte de complémentarité-là range hommes et femmes dans deux camps bien définis et les empêche effectivement de devenir les personnalités complètes qu'ils pourraient être, qu'il s'agisse du mariage ou de toute autre relation. Cette théorie de la complémentarité prive chaque sexe des qualités attribuées à l'autre; elle nous conditionne à croire que hommes et femmes ont des désirs et des besoins différents dans la vie et dans le mariage.

Si on veut bien aller au fond des choses, on s'aperçoit que les hommes et les femmes ont les mêmes aspirations en ce qui concerne le mariage: un foyer où trouver refuge, un compagnon aimant qui vous comprenne, vous accepte et qui, à son tour ait besoin de votre amour et de votre aide. Voici ce qu'ils attendent ainsi qu'un chaud courant de sollicitude, d'égards et de tendresse. Nos perspectives sur le rôle et les désirs des hommes et des femmes ont changé de nos jours sous l'influence des mutations économiques et technologiques et des questions qu'elles nous ont posées. Le mouvement féministe, la révolution sexuelle et l'accent porté comme jamais auparavant sur la personnalité et les moyens de la développer, ont eu une énorme influence également. Nous savons désormais que les définitions d'autrefois et les restrictions qu'elles apportaient à la liberté de chacun et à la découverte de sa propre identité n'ont pas une valeur absolue ad aeternum. Cependant les hommes, comme les femmes, n'ont pas la tâche facile quand il s'agit de s'adapter aux nouvelles idées, aux nouvelles libertés et exigences, tout en essayant de s'accrocher à certaines positions d'autrefois, réconfortantes parce que familières.

Voici ce qu'en dit un homme: "Nous savons à présent que notre rôle tel qu'on le concevait dans le passé, était terrible. Nous jetons un coup d'oeil en arrière : 'Mon Dieu! Comment avons-nous pu nous montrer aussi mauvais, injustes, hypocrites?' Il fallait que cela changeât, c'est évident; mais de quelle manière, dans quelle direction? Il nous a fallu cent ans pour comprendre ce que voulait dire l'égalité raciale. Combien plus nous en faudra-t-il pour effacer complètement cette sujetion féminine vieille de plusieurs millénaires et arriver à ce que les femmes accèdent à une parfaite égalité? Il convient aussi de modifier de fond en comble la mentalité des hommes et des femmes à ce sujet."

En attendant, quelle est notre attitude? Nous attendons? Nous cessons nos relations jusqu'à ce que l'utopie de la complète égalité soit devenue une réalité? Certaines personnes, qui sont plus accrochées à ces rôles traditionnels, continuent à adopter le mode de relations cher aux gens d'autrefois. Si les deux conjoints sont d'accord, s'ils ont tous les deux opté pour ce style de vie, le couple connaîtra amour et intimité, égards mutuels et loyauté. Un mariage qui répond à ce qu'en attendent mari et femme fonctionnera au mieux. D'autres, en nombre toujours croissant, opteront pour le nouveau style de relations conjugales et tenteront d'y mêler certains éléments de l'ancien. Très rares sont ceux qui veulent faire table rase des vieux rôles, des attributs classiques de la masculintié et de la féminité. Ils ne veulent ni les uns ni les autres se priver de ce que les comportements passés avaient de bon, de précieux. Ce qu'ils *désirent* c'est de jouer leur rôle en utilisant les capacités dont les définitions d'avant les avaient amputés: les hommes veulent pouvoir se montrer tendres, sans renoncer à leur force et à leur esprit de décision; les femmes veulent se montrer fortes et sûres d'elles-mêmes, sans renoncer pour autant à leur tendresse. Le mouvement en avant de la décade précédente en faveur de l'égalité n'était pas destiné à obliger hommes et femmes à échanger leur rôle ou à les priver de quelque chose de bon et d'utile. Il avait pour but de leur donner plus, d'élargir leur répertoire, d'amplifier leur puissance émotionnelle, de développer leurs capacités individuelles, afin de rendre chaque personnalité plus épanouie, plus créative.

Fort peu d'entre nous savent manier ces innovations. La femme exige de nouvelles libertés, l'homme tient à celles que lui a léguées le passé; ni l'un ni l'autre ne comprennent qu'ils ne parlent pas de la même chose. D'où une énorme confusion, des conflits aggravés, des tensions et des détresses telles que les époux n'en ont jamais connues de pareilles jusqu'alors. C'est un des domaines où ce phénomène est le plus frappant car le mariage est une relation *structurée,* un ensemble de règles, de conditions, de limites, qui régissent notre conduite et il a été considéré comme la dernière place forte où se retranche l'inégalité des deux sexes. Pourtant, même au sein du plus traditionnel des mariages, souffle un vent de changement. Chacun en attend un peu plus; il y en a qui aspirent à beaucoup plus. Etant donné la résistance au changement inhérente à l'institution du mariage, dès qu'on a fait un petit pas en avant, on a envie de risquer une immense enjambée. Nous désirons aujourd'hui être des compagnons, des amis, des partenaires, travailler à égalité, avoir le même poids dans la prise de décision, dans les responsabilités parentales, sociales, domestiques, dans la vie sexuelle.

Il y a des couples qui jonglent victorieusement avec le neuf et l'ancien et qui s'arrangent à la fois des rôles d'autrefois et de ceux du présent. Ils ne s'acharnent pas à obtenir l'égalité complète mais n'acceptent pas non plus un retour aux injustices d'antan. Ils sont conscients de ce que le mariage satisfait leurs aspirations à vivre ensemble d'une façon durable et stable. L'évolution de leur couple vers un nouveau style de vie commune, vers de nouvelles responsabilités, vers une plus grande égalité entre leurs attributions respectives, ne correspond qu'à une des raisons d'être de leur mariage mais il y en a d'autres. La sollicitude, le soutien mutuel, le partage des joies et des peines, ils le savent aussi, leur permettront de surmonter les embûches du chemin. Ces couples-là découvrent un nouvel équilibre dans leurs rapports avec les hauts et les bas inévitables. Ils sont en train de créer les mythes et idéaux de notre époque à l'usage des hommes et des femmes unis par les liens du mariage et qui combattent côte à côte pour accéder à la plénitude de leur personnalité.

C'est une lutte constante; l'équilibre est délicat à trouver, et la tâche difficile d'amorcer le changement incombe souvent à la femme. Après tout ce ne sont pas les hommes qui ont désiré tous ces changements qui ont marqué notre époque. Ils étaient satisfaits de ce qu'ils avaient ou du moins le croyaient. Puisque ce n'est pas eux qui ont pris l'initiative, ils sont souvent à contre-courant, sur la défensive. En général ils aimaient leur rôle bien précis de producteurs, de patrons, de chefs qui prennent les décisions dans notre société. Leur identité ne dépendait pas de leur mariage ni de ce que pensait leur femme. Leur profession et le monde extérieur la leur conféraient. Dans les coups durs, la femme était là pour panser les plaies et l'amour-propre. Pour beaucoup d'hommes, les recherches actuelles et le rééquilibrage du couple ont quelque chose de menaçant et ils se demandent si le jeu en vaut la chandelle. Qu'ont-ils à y gagner? Que vont-ils y perdre? Qui ressent le besoin d'une plus grande puissance émotionnelle dans un monde hautement compétitif où cela n'est pas de mise et ne sert à rien? Un homme grandit en comptant sur la tendresse et les soins de sa Maman; plus tard il s'attend à participer au minimum aux tâches paternelles dans ses rares moments de loisirs; à disposer d'un pouvoir réel dans les domaines importants à ses yeux et à s'en remettre à sa femme uniquement dans la sphère domestique; à avoir une vie sexuelle dans le mariage, quand cela lui convient, et encore mieux de la mener au dehors, quand cela l'arrange, or, à l'heure actuelle, qu'attend-on de lui? qu'il participe à plein temps à l'éducation de ses enfants; qu'il devienne au besoin gardien de la maison; qu'il fasse le marché; qu'il serve de secrétaire, de baby-sitter, de cuisinier, qui plus est, tout ce qu'il a appris dès son enfance; comment se défendre et conquérir, grâce à des qualités de courage, de détachement, de maîtrise et d'invulnérabilité, tout cela va être retourné contre lui; on lui en fera grief. On lui demande de se laisser envahir par ses émotions, de couler ses larmes, d'exprimer ce qu'il ressent, de communiquer plus librement.

Quand la femme s'épanouit, que sa personnalité s'affermit, qu'elle prend plus d'assurance, où en est son compagnon? Elle a plus besoin de lui que jamais mais peut-être se replie-t-il dans un silence boudeur ou désapprobateur ou bien prend-il une attitude contestataire, cherchant à rivaliser avec elle, usant de représailles ou jouant au chef. Elle aspire à recevoir de la tendresse, elle qui en a toujours donné tant à celui qu'elle aimait, qu'elle fût sa femme ou non. Mais l'homme qu'on a dressé à la lutte et à la compétition, à qui on a appris à ne pas faire montre de ses sentiments de crainte de perdre de son autorité, est souvent incapable de lui en donner.

"Je pense, me dit un mari, que ce qui cloche dans notre couple, c'est que je suis incapable d'exprimer mes sentiments comme Arlène le voudrait. C'est notre plus gros problème. Elle désire que je la rassure sur l'amour que je lui porte et dont elle devine tout de même quelque chose. Mais je ne suis pas un être expansif; je dois apprendre à montrer davantage ce que je ressens envers elle. Elle, de son côté, doit essayer de comprendre à quel point cela m'est difficile. Nous nous efforçons dans ce sens, je fais des progrès, mais c'est difficile quand on n'y a pas été habitué dans sa famille."

Ces paroles dites sur un ton mi-sérieux, mi-moqueur, expriment bien ce à quoi aspirent les femmes à l'heure actuelle: retrouver, au retour d'une journée de travail longue et harassante, un être qui sache vous réchauffer de son affection, vous redonner courage et espoir. Ce ne serait pas désagréable non plus de trouver son linge propre et repassé. Je ne plaisante pas. Chacun d'entre nous a besoin d'une relation nourrissante. C'est au tour des femmes à présent de recevoir un peu de cette tendresse, de ces soins qu'elles ont toujours si libéralement prodigués. Mais elle doit souvent constater que, si elle a su assumer de nouvelles et diverses responsabilités dans des domaines qui étaient autrefois l'apanage des hommes, ceux-ci en revanche ont du mal à développer leurs capacités dans la sphère des activités jusque là strictement féminines.

Comme un spécialiste de la thérapie familiale* nous l'explique: "De nos jours les deux époux comptent l'un sur l'autre pour donner une présence maternelle, protectrice, chaleureuse; ils désirent chacun que le conjoint accueille l'autre à bras ouverts, l'oreille attentive aux confidences. Il est bien évident que c'est une aspiration que les rôles traditionnels ne peuvent satisfaire."

Il ne s'agit pas seulement pour les hommes d'apprendre un nouveau rôle et de savoir s'y adapter, il leur faut aussi affronter leur image en tant que "symbole d'oppression". De plus même s'ils évoluent vers de nouvelles orientations,

* Citation empruntée au Dr Yael Danieli.

la société de son côté s'attend encore à leur voir assumer leurs anciennes responsabilités. Cette vision périmée commence à se dissiper mais c'est elle qui a inspiré nos lois et elle y demeure incarnée. Il faut avoir la bonne foi de reconnaître que beaucoup d'entre eux ont accepté avec bonne grâce cette nouvelle répartition des attributions entre époux mais la tâche ne leur a pas été rendue plus aisée pour autant.

Voici les commentaires d'un homme d'une quarantaine d'années: "J'ai tout connu. Mon premier mariage était bâti sur le vieux modèle et quand ma femme a voulu se libérer, cela n'a plus marché. Alors j'ai divorcé et me suis retrouvé libre mais — et c'est là où le bât blesse — il fallait que je m'occupe des gosses. Cela, je l'accepte volontiers, je les aime, je veux assumer mes responsabilités à leur égard et je le dois. Néanmoins on peut toujours se demander si cela est tout à fait juste. Maintenant je me suis remarié, les choses sont tout à fait différentes: nous travaillons tous les deux; il y a vraiment de la liberté entre nous, mais il faut toujours que je fasse vivre mes gosses. Mon point de vue est le suivant: les femmes sont supposées libérées et sur un pied d'égalité avec nous mais le poids des nécessités économiques repose toujours sur nos épaules à nous."

D'autres se rebellent. Ils ont l'impression qu'on a plus besoin d'eux; ils souffrent d'avoir à abandonner l'image d'eux-mêmes qu'ils chérissaient, image où se superposaient le dictateur, le papa-gâteau, le juge sans appel, le garçon libre de flirter comme il l'entend. Il arrive aussi en cette époque d'automation et d'anonymat, où l'Etat est devenu une énorme machine, où les sociétés sont atteintes de gigantisme, que beaucoup d'hommes soient pris au piège de situations sans intérêt et sans possibilités d'avancement. Ils ne sont plus que des rouages dans d'immenses mécaniques et ne peuvent plus satisfaire leurs aspirations à un travail personnalisé et à des relations humaines normales. Vivant au sein d'un univers froidement impersonnel, ils ressentent le besoin de trouver ailleurs, dans l'intimité du couple, de quoi rassasier cette faim profonde d'affection et d'égards. Mais c'est justement le lieu où les changements de mentalité ont bouleversé les habitudes familières et ils éprouvent un grand manque. Est-il étonnant qu'ils se sentent persécutés de tous côtés, qu'ils se demandent la signification, pour la société et pour leur vie personnelle, de ce nouvel état de choses? Qui faut-il blâmer? Un homme qui se sent prisonnier de sa vie professionnelle et qui ne trouve plus sa place au foyer est tenté de fuir. Et il va fuir tout le temps: il fuit les relations suivies, les engagements, les responsabilités.

L'homme à la fois fort et tendre, loyal, compréhensif, celui qui essaie de changer d'attitude, existe mais ce n'est pas de cette étoffe que sont faits les héros du jour, en tout cas certainement pas ceux que l'on nous montre dans les média. Le machisme se porte toujours bien et le cow-boy des Marlboro chevauche sur nos écrans. Nous ne tenons pas à abandonner l'image de l'homme viril mais nous avons de la peine à croire encore en lui, alors que nous voyons défiler à la télévision et au cinéma tant de personnages incarnant une fausse conception de la masculinité, sans parler des magazines porno et des journaux qui nous rabattent les oreilles d'histoires de violence et de sadisme. L'homme "nouveau" n'a pas encore de représentation mythique. Rollo May a dit* que les mythes sont des vérités intérieures et éternelles qui donnent sens à nos vies et structurent notre identité individuelle et collective. L'homme à la fois fort et sensible vient tout juste d'émerger mais si on se réfère aux livres et aux films, c'est encore l'anti-héros; le temps n'est pas

---

*Cette définition des mythes fut exposée par le Dr Rollo May dans son discours devant la 84e Annual Convention of the American Psychological Association in Washington D.C. 1976.

encore venu où il inspirera l'art et la littérature.

La société continue à pousser les hommes vers le succès entendu comme position prééminente et possession de biens matériels. Dans beaucoup de couples, on sait tenir compte ingénieusement des nouvelles aspirations qui se sont fait jour ces derniers temps; par exemple la soif de liberté, la conscience de soi, la communication, l'égalité dans la vie de couple et de parents. Mais tant d'hommes se trouvent encore accaparés par les tâches anciennes qu'ils n'ont pas eu le temps de penser aux exigences de la vie conjugale d'aujourd'hui. Ce sont des gens qui essaient de survivre et de faire vivre leur famille dans un monde de plus en plus dur. Il en est ainsi de Lou qui a épousé Theresa il y a vingt ans et qui dirige un restaurant réputé.

Lou: "Ce que je considère mon devoir de mari, c'est, comme dans le passé, de veiller à ce que ma famille ait tout ce qu'il lui faut: argent, toit, bonne santé. C'est la responsabilité d'un homme et il doit l'assumer même si pour cela il lui faut passer vingt quatre heures sur vingt quatre loin de chez lui. Et si votre femme trouve que vous êtes un peu la cinquième roue du carrosse parce que vous n'êtes jamais là, tans pis! du moment que vous rentrez au logis, le porte-monnaie plein."

Theresa: "C'est comme il vous le dit; je vous assure que j'y ai mis du mien avec lui! Avec une affaire comme la sienne, il lui arrive d'être absent de chez nous vingt quatre heures *de suite.*"

Lou: "J'ai mon affaire à diriger et j'aime ça. Mes clients m'appellent Monsieur l'Original et ils savent, quand je les envoie au diable, que c'est ma façon de plaisanter. Il faut plaisanter pour tenir le coup. Mais on ne peut pas compter sur le personnel, ce sont des gens négligents, pas soigneux. Si on n'était pas tout le temps sur leur dos, ça vous coûterait diablement cher!"

Theresa: "Au moins deux fois par semaine je menace de me

trouver du travail, avec quatre enfants un salaire de plus ce ne serait pas de trop et mon mari ne serait plus obligé de passer tant de temps là-bas."

Lou: "Il n'est pas question que je laisse ma femme travailler. Quand les enfants sont petits, ils ont besoin de leur mère. Plus tard, quand ils seront élevés, elle pourra bien se taper quatorze heures de travail par jour, si ça lui chante."

Theresa: "Je dis ça mais au fond c'est simplement pour lui faire peur. Pour moi la famille c'est sacré et puis je suis paresseuse, je n'ai pas envie d'aller travailler; j'ai assez de boulot comme ça à la maison. Je ne crois pas que je serais capable de travailler toute la journée et en rentrant de recommencer à faire tout le travail de la maison."

Lou: "Moi je me sacrifie à veiller à mon affaire; cela me coûte de ne pas profiter de la vie de famille. Quelquefois je rentre un moment le soir à la maison; s'il le faut, je torche le derrière des bébés, mais si je ne peux pas me libérer, qu'est-ce que vous voulez, mettez-vous à ma place, pas moyen d'être comme ils disent "le père tranquille". L'affaire vient en premier ou bien elle coule et nous avec."

Semblable en cela à bien d'autres épouses, Theresa comprend qu'il faut tenir compte dans leur vie de ces impératifs. Des changements radicaux dans leur style de **vie ne** les rendraient pas forcément plus heureux l'un et l'autre. Mais en ce qui concerne les femmes qui veulent absolument sortir des vieilles ornières, la poussée en avant vers la libération tant méritée et la reconnaissance de leur identité n'a pas été sans leur apporter chagrins et maux de tête. Dans bien des cas le poids reposant sur leurs épaules s'est fait de plus en plus lourd et les conflits se sont aggravés, surtout dans la vie des couples. On attend de la femme qu'elle assume tous les rôles à la fois: qu'elle fasse carrière avec succès, qu'elle soit bonne mère, experte ménagère, médecin bénévole, amante inventive et habile,

154

l'égale de son époux sur le plan intellectuel et capable aussi bien que lui de prendre des initiatives. Elle doit être sûre d'elle-même en tout en restant tendre et féminine; elle est censée affronter la compétition sans esprit de bagarre. Si jamais elle décide de rester au foyer et d'élever au mieux ses enfants, les féministes la regarderont de haut et les hommes de plus en plus en feront autant. Il lui faut donc mener de front maternité, carrière, vie conjugale; rester séduisante, faire du sport, du jogging; se frayer son propre chemin, ouvrir les portes de son avenir par ses propres moyens, enfin faire l'éducation sexuelle et émotionnelle de son mari.

La bataille pour l'égalité se poursuit; de plus en plus d'hommes et de femmes chaque jour prennent conscience de ce qu'elle entraîne comme confusion mentale, détresses et vies sacrifiées. Ce qui n'empêche pas qu'elle ait aussi de bonnes conséquences puisque de nombreuses injustices se voient corrigées et qu'on déblaie la route qui permettra d'accéder à de nouvelles formes de coopération, à plus d'harmonie dans les relations des deux sexes. Au fur et à mesure que le statut de la femme se modifie, le nombre des options qui s'offre à elle est en constante expansion et son impatience se fait de plus en plus vive. Elle explore des domaines de plus en plus vastes, multiplie ses compétences, apprend à se suffire à elle-même et gagne de l'assurance. Aujourd'hui les femmes représentent quarante pour cent des travailleurs de force; soixante pour cent des femmes mariées travaillent hors du foyer. Bien qu'elles gagnent encore beaucoup moins que les hommes à travail égal, plus de deux millions* de travailleuses gagnent plus que leurs maris. Elles n'ont plus besoin de se marier ** et par milliers profitent de cet avantage nouvellement acquis. Etant donné la prolongation de la durée de vie, une femme ne passe plus qu'un tiers de son existence à élever ses enfants, et cela dans l'hypothèse où elle y est disposée, or de plus en plus elle s'y refuse. Toutes ces raisons, plus la contraception, l'instruction et le climat sexuel différent, font que sa vision d'elle même et de ses possibilités s'est singulièrement élargie.

Tout contribue à agrandir l'éventail des activités qui s'offrent à elle, que ce soit dans le mariage ou en dehors. La majorité désire encore le mariage mais actuellement une femme demande quel prix il lui faudra payer; lui faudra-t-il renoncer aux droits chèrement gagnés; tiendra-t-on compte de ce qu'elle est en droit d'attendre? Elle désire être traitée en égale, être respectée pour ce qu'elle apporte à la communauté; elle veut prendre une part égale aux décisions du ménage; elle s'attend à être secondée dans les tâches domestiques; à ce qu'on la laisse libre de faire

---

*Le nombre de 2,3 millions fut avancé par Carolyn Shaw Bell après étude des statistiques gouvernementales et cité dans l'article de Marily Bender "Why working Wives fell guilty" dans McCall (Aug. 74) p.40. Une estimation de 1,8 millions fut faite par Carl Rosenfeld membre de la Gouvernment's Division of Special Labor Force Studies et cité par Letty Cottin Pogrebin dans sa rubrique: "The working Woman" dans le Ladies' Home Journal (Feb. 1976.) p. 70.

**Dans le groupe des hommes et femmes qui traditionnellement sont d'âge à se marier (20-40) le pourcentage de femmes demeurant célébataires s'est élevé de 28% en 1960 à 39% en 1974, c'est à dire une augmentation d'un tiers. Ce qui peut indiquer soit un mariage plus tardif soit une tendance croissante à choisir le célibat comme mode de vie; il est trop tôt pour se prononcer. Ces constatations furent faites par Roxann A Van Duisen et Eleanor Bernet Sheldon dans "The Changing Status of American women", American Psycologist (Feb. 1976) pp. 106-116.

carrière ou d'avoir un simple job; elle tient à profiter du sexe comme d'un plaisir avec le droit de décider si elle veut un enfant ou non. Elle n'a plus envie de jouer à la maman avec son époux, du moins pas tout le temps. Elle veut un partenaire dans le mariage, un compagnon de vie, un camarade, un père qui participe à l'éducation de ses enfants. Mais surtout elle aspire à trouver chez son mari la profonde intimité et l'empathie qu'elle a toujours été appelée à donner, parfois unilatéralement. Ces revendications actuelles constituent une nouvelle donnée de base pour le mariage qui diffère du passé aussi bien du côté de la femme que du côté de l'homme.

Le grand cri des années soixante était: "Que veulent donc les femmes?" Finalement nous avons vu que le champ de leurs aspirations va s'amplifiant. Au cours d'une récente conférence le docteur Estelle Ramey* nous disait: "Que nous importe que Freud n'ait pas su ce que les femmes désiraient. Dans cette salle, il n'est pas une femme qui ne sache qu'elle veut... tout, tout ce qui existe, au même titre que les hommes. Peut-être ne sera-t-elle pas capable de l'obtenir mais elle le veut *comme* l'homme. Les hommes et les femmes d'aujourd'hui affrontent un véritable dilemme. Ils s'aventurent sur une terre inconnue d'un pas incertain; ils tâtent du pied, expérimentent, avancent, battent en retraite et se demandent où ce chemin les conduit. Il y a un *nouvel* équilibre à trouver dans leurs relations mais nous ne disposons pas de la formule magique qui indiquerait comment cela doit fonctionner. En théorie, le mariage est un jeu ou chacun mise cinquante pour cent et où l'on doit donner cent pour cent de soi-même mais comment la partie va-t-elle se mener au jour le jour, quand il faudra partager tâches, émotions et

* Conférence du Dr Estelle Ramye Dec. 1976 à Washington D.C. 20006.

157

problèmes? Parfois l'équilibre se fera à 60/40 parfois à 10/90. Tantôt, "il" l'emportera, tantôt ce sera "elle". A un moment donné, elle aura de grands besoins puis ce sera son tour à lui de réclamer davantage. Quels que soient nos efforts pour que dans le mariage les deux plateaux de la balance soient au même niveau, nous savons bien que l'égalité idéale n'existe pas. Seule la durée permet de rétablir un équilibre.

Que nos idées changent en ce qui concerne les rôles des partenaires sexuels n'implique pas une modification instantatnée dans les faits. Pour prendre une comparaison: Ce n'est pas une porte qui s'est brusquement ouverte mais une pierre jetée dans l'eau et dont les ondes se propagent en cercles de plus en plus grands. Ecoutons deux jeunes travailleuses échanger leurs points de vue sur la question:

Dottoie: "Les femmes ont changé, alors maintenant ce sont les hommes qui changent, mais ils ont plus de peine à s'adapter."

Sandra: "Evidemment ils n'ont rien pour s'appuyer; ils nè peuvent pas demander au cher vieux Papa ce qu'il faisait dans le temps parce que maintenant c'est changé. Ils ne peuvent pas reprendre leurs vieilles habitudes."

Dottie: "Le cher vieux Papa enfermerait sans doute la chère vieille Maman à double tour dans le placard en attendant de voir comment ça tourne mais les Oozie et Harriet de maintenant ne se laisseraient plus faire. Pour nous il s'agit d'essayer de s'adapter les uns aux autres, c'est du nouveau pour tout le monde."

Sandra: "Nous vivons dans une période de transition. Tu verras, d'ici que nos enfants soient grands on s'apercevra d'une fameuse différence; comme nos parents par rapport à nous."

Hommes et femmes essaient un peu de ceci, un peu de cela; ils trouvent finalement que les nouvelles formules ne leur sont pas plus "naturelles" que les anciennes. La seule chose qui soit naturelle c'est le fait que nous soyons des êtres humains et ce fait-là transcende les rôles de mari et de femme, de mère et de père, de protecteur et de protégée. Un psychologue connu faisait remarquer que "la tendresse, l'abnégation, l'acceptation des craintes et des difficultés, le courage, l'indépendance et l'accueil aux changements afin de vivre pleinement sa vie dans un monde en évolution, voici les qualités humaines que nous possédons en commun."

Hommes et femmes parlent un langage émotionnel différent.* Un écrivain disait: "Il n'y a personne qui puisse nous en donner la traduction immédiate." Mais certains d'entre nous commencent à écouter ensemble et à s'écouter réciproquement. Ils ne veulent pas renoncer à leur identité ni aux valeurs précieuses inhérentes aux rôles d'autrefois. Mais ils sont en train de *s'efforcer* à déchiffrer les codes propres à l'un et l'autre sexe pour réussir à atteindre un équilibre conjugal nouveau.

---

* Citation provenant d'un article de Letty Cottin Pogrebin: "Can I Change Him?" Ms (Jan. 1977)

13

Sur le front domestique

Il s'est passé beaucoup de choses sur le terrain des tâches ménagères, champ de bataille où s'affrontent souvent les deux conjoints, désireux d'esquiver les besognes pénibles, besognes réservées traditionnellement aux femmes et dont ma mère disait qu'elles sont "toujours à recommencer". Il en résulte des accords à l'amiable, des compromis. On discute, on se vexe, on amasse des rancunes tenaces mais finalement beaucoup de couples réussissent à s'arranger au mieux et la cuisine devient le lieu où bien des décisions vitales sont prises. Un mois après leur mariage Lori et Ken ont eu une dispute qui est restée célèbre dans les annales familiales.

Ken: "Le carrelage est sale."

Lori: "Je ne trouve pas."

Ken: "Moi, je le trouve dégoûtant."

Lori: "Eh bien! tu n'as qu'à le laver."

Ken: "Mais c'est ton boulot à toi."

Lori: "Bon! Puisque cela me regarde, je dis que je le trouve propre."

Ken: "Moi je te dis qu'il est sale et que c'est à toi de le nettoyer."

Lori: "Je ne sais pas comment m'y prendre."

Ken: "Je me demande ce que ta mère a pu t'apprendre."

Lori: "En tout cas, elle ne m'a pas appris à laver un carrelage."

Ken: "Je n'aime pas le voir dans cet état."

Lori: "Ah ça c'est une tout autre histoire; que tu l'aimes ou ne l'aimes pas, c'est ton problème; tu peux le résoudre en le lavant ou en le laissant tel quel."

Ken: "Je ne veux pas le faire moi-même mais je veux qu'il soit propre."

Lori: "Et comme moi je ne veux pas le laver, je crois qu'il nous faudrait une troisième personne."

En me racontant cet incident dix ans après, Lori m'expliquait: "Ken était à l'école de Médecine, à ce moment-là et moi je travaillais. Nous gagnions à peu près $4,800 dollars par an et avec cela il fallait régler ses frais d'école, toutes nos dépenses et Mrs "Je ne sais plus son Nom" qui buvait toute notre cave mais lavait merveilleusement les carrelages. Nous avons toujours eu recours à une aide comme ça parce que ce genre de discussion ne mène à rien."

Quand une femme mariée qui a des enfants a besoin de travailler à plein temps ou veut faire carrière, il y a toute une série de problèmes à régler et les arrangements qui ont fonctionné jusque là doivent être revisés, ce qui ne veut pas dire qu'elle en aime moins ses enfants ou qu'elle soit devenue indifférente à leur bien-être et à celui de son mari.

Certains couples comme Suzanne et Martin s'en sont mieux tirés parce qu'ils ont de l'aide et qu'il a du temps pour s'occuper de ses enfants. Ils se sont mariés alors qu'il était encore à l'Ecole de Droit et qu'il escomptait mener la vie comme autrefois avec femme au foyer et enfants. Suzanne était professeur; elle a lâché l'enseignement dès qu'elle a attendu son premier bébé. Après, elle est allée dans les jardins publics en poussant son landau; à la

161

maison elle faisait toutes les tâches matérielles. "J'ai été très heureuse pendant cette période avec mon bébé à la maison. C'était une petite fille très facile. Avec un seul enfant on s'arrange toujours facilement; on peut l'emmener partout où l'on veut aller. J'avais l'impression d'être une enfant et de pouvoir faire tout ce que je voulais."

Trois ans plus tard naît un second enfant. "J'ai eu une drôle d'impression, nous dit Suzanne. Je savais qu'avec deux enfants la vie ne serait plus aussi facile. Je me suis rendu compte tout de suite, quand j'étais encore à l'hôpital, qu'il me faudrait trouver du travail. Je suis rentrée à la maison; je me suis occupée des deux petits pendant six mois. Je parlais toujours de me remettre à travailler mais vous savez comment c'est, on en parle et on ne prend aucune décision. Je m'apercevais quand nous allions à un soirée que je n'avais pas envie de parler avec les gens car je n'avais rien à dire. Je ne voulais pas parler de mes enfants ni du plat que j'avais fait la veille à dîner. Alors j'en ai conclu qu'il fallait changer au plus vite mon fusil d'épaule. Martin et moi avons calculé de combien nous pouvions disposer pour nous offrir une aide ménagère jusqu'à ce que je trouve une situation, ce qui je m'en doutais, ne serait pas facile. D'autant que je ne voulais pas entendre parler de reprendre l'enseignement: avec deux enfants à la maison, cela me suffisait, je n'avais pas envie de passer le reste du temps avec d'autres mioches. Nous avons vu que nous pouvions prendre une aide ménagère pendant deux mois et demi; si d'ici là je n'arrivais pas à dénicher un emploi, la question serait réglée. J'ai embauché quelqu'un et, la semaine d'après j'avais mon travail. Nous avons toujours la même personne depuis six ans. Elle n'est peut-être pas la reine du nettoyage mais avec les enfants, elle est sensationnelle: elle les promène, les conduit à l'école, leur fait réciter leurs leçons etc."

Martin dit qu'il n'a jamais pensé à Suzanne en l'associant

à une fonction déterminée mais comme une personnalité à respecter. "La seule attribution que j'entendais lui garder, parce que c'est un travail féminin et surtout parce que j'ai horreur de ça, c'est la cuisine. Et comme de son côté, elle déteste faire le ménage, il était entendu entre nous que je m'en chargeais. Suzanne était responsable des repas et moi de la propreté de la maison. Il y a des hommes qui ne le feraient pas par préjugés mais, dans notre cercle d'amis, la plupart des hommes mettent la main à la pâte." La situation que Suzanne avait trouvée l'a introduite dans le monde de la télévision; elle a grimpé rapidement dans la hiérarchie. Actuellement elle gagne plus que son mari, ce qu'il apprécie: "La seule chose qui m'ennuierait, dit-il, serait qu'à cause de cela elle me regarde de haut, ce qui n'est pas du tout son genre."

"Le plus dur dans notre vie, explique Suzanne, et la difficulté est la même pour nous deux, c'est de trouver le temps de respirer. Nous passons de bons moments avec les enfants avant et après le dîner mais nous nous réservons le dîner pour un tête à tête, nous avons tant de choses à nous raconter à la fin de la journée."

"Il y a des années, nous dit Martin, que j'ai conseillé à Suzanne de reprendre du travail. Ce n'était pas du tout à cause de nos finances mais je pensais que cela ferait d'elle une personne plus complète et puis un peu égoistement je me disais que ce serait plus intéressant pour moi, j'aurais plus de sujets de conversations avec elle. Quand elle a eu sa situation, au début, je n'étais pas aussi content que je l'aurais cru car je ne savais pas comment les enfants le prendraient et si nos relations conjugales en seraient modifiées. Mais jamais il n'a été question pour moi de lui donner 'la permission' de travailler. Sa mère me disait souvent: 'Je ne comprends pas que vous la laissiez travailler.' Je n'ai pas à donner de permission; elle est parfaitement libre de faire ce qui lui plaît; elle est

autonome; je ne lui ai pas attaché des boulets aux pieds."
Suzanne: "Quand j'ai commencé un travail professionnel, une de mes amies a cru que s'était à la suite d'une dépression nerveuse. Elle a dit à quelqu'un qu'il fallait être vraiment cinglé pour travailler au dehors quand on a des enfants. Je pense que ce qui m'a influencée c'était l'état où j'ai vu ma mère après la mort de mon père. J'ai décidé que je ne voulais pas qu'il m'arrive la même chose, si je me trouvais en pareille circonstance. Ma mère était absolument perdue; jamais elle n'avait eu de job. Matériellement elle avait tout ce qui lui était nécessaire mais elle ne savait que faire de son temps; d'ailleurs cela continue. Je ne veux pas dépendre de l'affection des enfants pour donner un sens à ma vie pendant vingt ans et plus. Quand ils auront des enfants, je serai une très gentille grand-mère."

Le cumul des rôles, travail, maison, maternité, pose des problèmes que tous ne résolvent pas aussi aisément. Beaucoup, sinon la majorité, ne peuvent assumer les frais d'une aide-ménagère à temps complet; s'il y a de jeunes enfants et si les parents travaillent tous les deux, ils pourront s'offrir uniquement une aide à certains moments de la journée. Ils ont peut-être besoin de leur argent pour payer une hypothèque ou l'éducation de leurs enfants. Quand il n'y a pas de tierce personne pour se charger des tâches ménagères, que se passe-t-il? Le ménage, la lessive, la vaisselle, vont-ils devenir les occasions de mettre à l'épreuve les relations du couple? Si le partage des responsabilités se joue uniquement sur ce terrain, il risque d'y avoir pleurs et grincements de dents. Je pense que, dans la vie, on ne peut jamais appliquer une théorie à cent pour cent; ce qui revient à dire que rien, même les besognes ménagères ne peut se partager d'une façon tout à fait égale chaque jour. Mais cela n'exclut pas une certaine recherche de justice et il faut certainement, de nos jours, reviser la distribution de ces travaux. Dans le mariage comme dans les autres domaines, notre but est d'arriver en fin de compte à une harmonie, à un équilibre. Nous aspirons à des relations où ce ne soit pas toujours la même personne qui donne et la même qui reçoive; nous désirons l'égalité mais sans mesquinerie dans les petites choses.

Beaucoup de femmes se heurtent à une forte résistance quand elles demandent à ce que les travaux domestiques indispensables à la bonne marche d'un foyer soient partagés un peu plus équitablement. Chaque enquête montre que les femmes qui travaillent passent plus d'heures en travaux ménagers et disposent de moins de temps de loisirs que les hommes. Le "Working Woman" rapporte qu'une femme qui fait ses trente-cinq à quarante heures de travail professionnel par semaine s'acquitte en outre de quarante et une heures de travaux domestiques et familiaux. De nos jours un gros effort est fait par les hommes et par les femmes pour égaliser la charge; il ne s'agit plus d'une faveur accordée, mais d'un simple souci de justice. Jane, qui travaille à temps complet dans l'édition, a constaté que l'égalité, sur le terrain des travaux domestiques, entraînerait une modification de leur vocabulaire; elle a trouvé avec son mari une nouvelle façon de parler de leurs tâches respectives.

"Au début, explique-t-elle, il intervenait une fois par hasard dans les besognes ménagères et après il disait d'un ton pincé: "Tu pourrais me remercier de t'avoir aidée". J'exprimais alors en mots bien sentis toute ma gratitude. J'ai compris un beau jour que j'avais tort; nous avons eu quelques discussions et, quand il retombait dans son ancienne attitude, je lui faisais remarquer: 'Tu ne m'aides pas à faire le ménage?' S'il répondait: 'Et toi tu ne me demandes pas de t'aider?' 'Ce n'est pas à moi de *demander,* tu vois ce qu'il y a à faire, il faut le faire. C'est *notre* maison, pas seulement la mienne. Il s'agit de notre vie à tous deux et

165

moi aussi j'ai un travail professionnel.' Finalement cela nous a amenés à revoir complètement notre façon de parler. Il n'était pas en train de 'm'aider' nous faisions ensemble ce qu'il y avait à faire. Maintenant quand je rentre à la maison et je m'aperçois qu'il a encaustiqué les parquets, au lieu de le remercier je dis 'C'est merveilleux ce que les parquets brillent!" Notre grandissime découverte fut de nous apercevoir que c'était un travail partagé et pour changer notre mentalité il a fallu d'abord changer la façon dont nous en parlions."

N'oublions pas que les hommes ne sont pas les seuls à se sentir menacés par la nouvelle répartition des attributions, les femmes aussi. Jane prépare le dîner mais son mari et son fils viennent faire la vaisselle avec elle. "J'avais beau avoir besoin de leur aide et de la souhaiter de tout mon cœur, j'ai dû me sermonner pour me décider à les laisser envahir la cuisine, c'était mon domaine à moi depuis si longtemps, j'avais l'impression de perdre une partie de moi-même. Il fallait me résigner, je n'étais plus chez moi; j'ai dû accepter que les tasses ne soient plus rangées à mon idée et que la vaisselle ne soit plus impeccable comme je l'aime."

Une autre jeune femme me disait: "Mon mari a vécu seul pendant de nombreuses années et il a l'habitude de se débrouiller. Pourtant s'il lui arrive de demander: 'Est-ce que ma chemise verte est repassée? Non? Ca ne fait rien, je vais la repasser.' Je crois toujours qu'il m'accuse implicitement d'être une mauvaise épouse parce que j'ai oublié de repasser sa maudite chemise. Mais ce n'est pas ça du tout; il n'y attache aucune importance puisqu'il sait repasser. C'était une mauvaise réaction de ma part, il faut que je change ma mentalité, que je renonce à croire qu'il y a des besognes féminines et d'autres réservées aux hommes."

Le partage ne peut être parfaitement équitable. Il y a des hommes qui font volontiers la vaisselle et jouent un rôle de plus en plus grand dans la tenue de la maison comme d'autres l'ont fait de tout temps. Mais alors qu'ils assument une part de plus en plus importante du travail dit 'féminin', ils trouvent qu'en revanche les femmes ne proposent pas de faire les réparations de plomberie ou d'électricité; elles ne lavent pas l'auto et ne tondent pas la pelouse. Quand elles vivent seules, les femmes se débrouillent très bien pour apprendre à bricoler, réparer des meubles, changer les rondelles des robinets etc. Il y a donc, de ce côté, une revendication justifiée; le partage se fait un peu unilatéralement, les hommes prenant un peu des tâches jadis féminines sans que les femmes leur rendent la pareille.

Hommes et femmes ont conscience que l'indépendance économique féminine a eu un fort impact sur leur rôle tant à la maison qu'en dehors. L'argent est un instrument de *puissance* et la contribution de la femme au budget familial lui donne de l'autorité pour faire pencher le plateau de la balance en sa faveur.

Lori: "Nous avons eu du mal au début de notre mariage quand je travaillais à plein temps et qu'il allait suivre ses cours; quand je rentrais à la maison, il me demandait de m'occuper du dîner parce qu'il devait revoir les matières de son examen. Moi je disais qu'il aurait toujours des examens à préparer, qu'il devait apprendre à aider à la maison. La personne qui gagne l'argent du ménage — moi en l'occurence — a certains droits sur l'autre qui reste à la maison. Quand la discussion tournait à l'aigre, nous finissions par tomber d'accord pour sortir et dîner d'une pizza."

Plus tard, quand Ken fut sorti de l'Ecole et qu'il travailla, tandis que Lori n'avait plus qu'un mi-temps, leur organisation se modifia. "Quand je n'eus plus qu'un petit job alors que Ken avait deux postes, je me dis que si je ne me mettais pas à faire de la cuisine, des conserves, des confitures et tout ça, je serais vraiment un mauvais investissement. J'ai toujours eu dans l'idée que j'avais des responsabilités, que le mariage implique des obligations. L'argent en fait partie; si je ne gagne pas un vrai salaire, je dois me débrouiller pour en dépenser moins à la maison. Pour le moment je considère qu'élever mes enfants c'est mon travail principal; ils me font sortir de mes gonds. Nous trouvons tous deux que pour moi c'est un gros morceau; on ne peut pas m'en demander plus. Quand les petites seront plus débrouillées, je reprendrai du travail; c'est la raison pour laquelle j'ai passé toutes ces années à préparer un diplôme avant la naissance des enfants. Maintenant qu'ils sont nés, ils représentent une grosse mise de fonds. Nous pensons que l'endroit où je peux trouver un emploi est plus important que l'endroit où il peut en trouver. En tant que médecin, il se casera partout où nous irons mais, en ce qui me concerne, il n'y a que quelques universités où je pourrais enseigner. Si nous déménageons, nous choisirons une ville où je pourrai utiliser mon diplôme, je ne serai plus seulement la femme de Ken.

Responsabilités et charges varient donc et changent d'épaules mais, pour ces couples qui savent que cette répartition des travaux domestiques n'est qu'un aspect de leurs relations et pas le principal, toutes sortes d'arrangements peuvent être conclus, selon les nécessités du moment, les exigences professionnelles, les goûts et inclinations de chaque partenaire. Par exemple pour Vince et Leah, il y a interversion des rôles, non pas à cause d'idées de libération féminine, de droits, de pouvoirs, mais simplement en raison de leur personnalité à chacun. Il est méticuleux, ordonné et adore le ménage. Par contre elle en a horreur, elle déteste les nettoyages mais a un faible pour la comptabilité. Ils se sont arrangés pour faire ce pour quoi ils sont le plus doués. Dee et Bob ont une vision plus majeure partie des travaux domestiques parce que dit-elle "cela me donne beaucoup de satisfaction de ranger les choses bien à leur place. Il intervient quand je le lui demande mais cela ne nous a jamais posé de problème."

Julie, mère de deux enfants de dix et douze ans, était rédactrice avant son mariage; elle a travaillé comme journaliste indépendante à la maison tant que ses enfants étaient petits. Elle a recommencé à travailler récemment dans le département administratif d'une grande université de Nouvelle Angleterre. "Tout conjoint a plus ou moins sa spécialité dans un couple; mon mari et moi nous sommes traditionnelle. Bien qu'elle ait une profession, elle fait la en train d'ajuster ou plutôt de réajuster nos rôles. Il s'agit de notre part à chacun d'un mouvement latéral: il était polarisé sur sa profession et moi, bien que je n'aie jamais cessé de travailler, je l'étais sur la maison. Maintenant nous bougeons: lui s'occupe davantage de la maison et moi je m'en occupe moins et me centre sur mon job. Pour aborder les questions pratiques, disons que je contribue au budget, ce qui se traduit, je l'espère, par un certain allègement de ses charges, notamment en ce qui concerne le paiement de l'hypothèque et de l'éducation des enfants. J'espère qu'il vivra mieux et plus longtemps grâce à cela. De mon côté, je contracterai peut-être un ulcère parce que je suis plus en contact maintenant avec les vicissitudes de la profession (d'où les stress). Mais c'est comme ça."

Evidemment certains messieurs n'approuvent pas entièrement que leurs femmes travaillent; de temps à autre ces sentiments hostiles font surface. Beaucoup de maris encouragent leurs femmes à travailler à plein temps si elles en ont envie — c'est le cas d'Harriet — mais il y a des réticences inconscientes: voici ce qu'elle nous dit: "Il m'encourage de toutes les façons sauf quand nous avons une discussion; en ce cas, la première chose qu'il me lance à la tête c'est: naturellement étant donné que tu travailles...

si tu ne travaillais pas, cela ne se passerait pas comme ça' et il énumère tout ce qui ne va pas. La liste est longue: la maison sale, les enfants mal élevés, les activités dont nous sommes privés etc. Il dit bien qu'il est content que j'aie une profession mais ce ne doit pas être si vrai au fond puisque, dans le feu de la discussion c'est le premier reproche qu'il formule. Pour moi c'est vital, je ne peux pas rester dans mon foyer mais comme mon mariage est également vital, j'essaie de concilier les deux."

Parfois on n'arrive pas à concilier les désirs, les aspirations de chacun des époux; il y a trop de heurts, d'incompatibilités, de points sur lesquels on ne peut se mettre d'accord. Le mariage de Lynn en est un exemple. Je l'ai rencontrée pour la première fois lors d'une campagne de publicité organisée pour lancer un de nos livres; c'est elle qui nous interviewait. Nous la trouvâmes intelligente, précise, pleine d'assurance. Nous avons correspondu pendant des années et je l'ai revue récemment. Elle m'a confié qu'elle passait par une période où elle sentait la nécessité de réfléchir sérieusement à l'avenir qu'elle désirait, à se fixer des buts et à visualier les moyens d'y accéder. Elle a toujours rêvé de faire carrière dans la télévision mais, comme elle dit: "il ne suffit pas de dire en arrivant à New York. Me voilà! Je veux la place de Barbara Walter tout de suite." En plus de son expérience dans les interviews, elle a travaillé à organiser un programme vidéo à l'usage des écoles urbaines.

Elle m'a raconté aussi qu'elle avait reçu plusieurs propositions de mariage mais qu'aucun de ses prétendants n'avait réussi à vaincre sa répugnance à "mettre l'embargo sur des tas de désirs". Un beau jour elle a rencontré un homme qu'elle s'est mis à aimer et à admirer. Ils ont maintenant un enfant de deux ans. J'étais stupéfaite quand elle a ajouté que son mariage était loin d'être réussi. "Ce qui est triste, c'est que mes pressentiments étaient fondés; il a bel et bien 'mis l'embargo'. Il m'avait fait une cour terriblement pressante; il m'a dit qu'il m'avait épousée parce qu'il me jugeait intéressante. Et puis ses vraies aspirations se sont fait jour: 'Maintenant que tu es mariée, tu dois faire le ménage, pourquoi ne l'as-tu pas encore fait? Et tout ce que nous avions eu en commun avant de nous marier s'est envolé par la fenêtre; en plus il y a entre nous de terribles disputes; jamais je n'aurais pensé à une telle violence. Il se montre assez cruel; pour me faire rentrer dans le moule, il use de tous les moyens; cela va de la réprimante, jusqu'aux brutalités physiques. Je n'avais jamais imaginé que dans un couple, il puisse ne pas y avoir de garde-fous, de règles. C'est bien joli qu'il y ait des défenses légales 'vous ne pouvez pas faire ci, vous ne pouvez pas faire ça' mais quand vous êtes à la maison derrière des portes closes, il n'y a plus de règles qui comptent. Je vois très bien ce qui ne va pas entre nous, mais comment y rémédier?"

Lynn décrit son mari comme une personnalité vigoureuse; il a très bien réussi dans les affaires, c'est un chic type. Mais "c'est un gueulard, il crie pour un rien, ce n'est pas du tout mon genre. Moi je réfléchis longuement avant d'agir et puis je fonce. S'il le faut, je dis au revoir très calmement, sans verser de larmes. Lui il gémit, il fait une colère comme un bébé pour obtenir ce qu'il veut. Il est du type 'mariage clos' tout en sachant qu'il a tort mais il a l'air de ne pas pouvoir se changer."

Quand mon mari est en déplacement pendant un certain temps, ils s'arrangent mieux de ne pas vivre tout le temps ensemble mais, à présent qu'il est de retour, elle sent que son attitude n'est pas seulement gênante pour elle mais aussi pour leur enfant. "C'était très dur à accepter pour moi puisque je voulais absolument poursuivre ma carrière; j'adore l'air du dehors, voir des gens, échanger des idées. Je trouvais déjà que je n'avais pas tellement bien réussi ma vie mais un mariage malheureux n'arrange rien. Cela abîme beaucoup intérieurement. Je comprends que les femmes puissent être blessées par une union malheureuse avec un garçon qui ne cherche pas à améliorer les choses. Je ne veux absolument pas être le genre de femme qu'il aimerait; pas question d'être la bonne petite ménagère.

Par contre j'aime m'occuper de mon enfant, cela a un sens et cela me plaît. Ce qui me préoccupe à l'heure actuelle, c'est que mon enfant ne souffre pas de la tension qui existe entre ses parents. C'est la première de mes tâches, la seconde étant de chercher à résoudre nos difficultés économiques. J'essaie de mettre un peu de côté mes inquiétudes concernant mon mariage pour me consacrer à ces deux préoccupations là. Si notre couple ne marche pas, j'ai au moins mon enfant et mon travail, mais dans l'autre sens cela ne marcherait pas; je veux dire que, si je mettais toute mon énergie à améliorer nos relations conjugales et que ce soit un échec, je me retrouverais sans rien, à zéro.

Il pense que je ne peux me consacrer à ma carrière tout en ayant des enfants, mais en réalité il souffre parce qu'il se sent abandonné. Quand nous avons eu recours à un conseiller conjugal - ce qui finalement n'a rien arrangé — le thérapiste a dit que la cause devait être recherchée dans sa relation avec sa mère qui était basée sur le seul lien biologique sans qu'il y ait eu entre eux de véritable intimité. Il n'a pas connu le vrai lien spirituel qui peut exister entre mère et fils. D'où la difficulté qu'il ressent à être proche spirituellement et sentimentalement d'une femme. Il n'a vu sa mère qu'une fois en cinq ans. Moi je veux garder le contact avec mes parents, nous sommes très liés mais mon mari ne le comprend pas. Il veut que je sois aux petits soins pour lui, que je me consacre à sa personne; il estime que c'est le premier de mes devoirs. Il veut que je fasse pour lui tout ce que sa mère faisait - en plus du reste. - Au point de vue sexuel, on ne peut pas dire que ce soit brillant, brillant. Au fond il a des rapports difficiles avec les gens, il se débrouille mieux avec les choses, les machines.

Il est étranger à tout ce qui se passe dans le domaine de la vie intérieure, de la vie émotionnelle, ça c'est une chose, et la seconde c'est qu'il juge, une fois pour toutes, mon travail sans valeur parce qu'il s'effectue en dehors d'une structure de temps bien établie; évidemment je ne suis pas comme une secrétaire qui travaille à heures fixes, de neuf à cinq par exemple; il y a aussi le fait que je ne gagne pas beaucoup d'argent. Il dit: "Tu ne fais que papillonner, perdre ton temps au dehors, tu ferais mieux de rentrer à la maison et de faire cuire les biftecks. Voilà son attitude."

Le conflit violent entre la mentalité d'autrefois et celle d'aujourd'hui au sujet du rôle des épouses ainsi que l'incompatibilité entre les aspirations profondes de l'un et de l'autre ne sont que trop visibles dans la vie de couple de Lynn et de son mari. Les responsabilités d'une mère, l'importance du travail féminin, les tâches domestiques, tous ces domaines où les femmes luttent pour trouver des solutions mieux adaptées aux idées modernes et de nouvelles voies d'épanouissement personnel, deviennent sources de querelles quotidiennes. Et le mot querelle est trop faible pour désigner ces combats sans merci. Leur idée du mariage, leur conception des buts importants à atteindre, ne cadrent pas. A moins que l'un ou l'autre ne change de fond en comble, comment leur union peut-elle subsister dans le monde tel qu'il est?

"J'ai déménagé, m'écrit-elle récemment; pour toutes les raisons que je vous ai exposées, mon enfant, mon découragement, ma carrière, cela m'a semblé la seule solution; nous tentons de trouver un modus vivendi autre, c'est à dire que nous ne nous retrouvons que pour des périodes limitées de vie commune."

Nous avons déjà parlé de couples qui ont su faire des choix satisfaisants pour les deux conjoints. Beaucoup d'épouses préfèrent encore le rôle de gardienne du foyer et de mère mais, de plus en plus couramment, elles gardent leur pleine liberté de choisir selon les étapes de leur existence et ne veulent pas se cramponner ad aeternum à leur unique fonction maternelle. Connie a pris ses dispositions avant la naissance de ses enfants pour pouvoir reprendre du travail quand ils seront suffisamment débrouillés. Et même, en attendant, elle passe autant de temps qu'elle le peut à étudier ou à se livrer à d'autres activités. "Beaucoup de mes amies, me dit-elle, se sont laissées piéger par cette fausse conception: 'IL FAUT QUE J'EXERCE MES RESPONSABILITES DE MERE VIS-A-VIS DE MON ENFANT, PERSONNE NE PEUT LE FAIRE A MA PLACE.' Oui, bien sûr, mais il ne faut pas exagérer car, dans ce cas là jamais vous ne pourrez laisser vos chers petits entre des mains étrangères.

Il y a des tas de gens qui me critiquent: 'Vous ne pensez pas que c'est mauvais d'avoir recours à tant de baby-sitters différentes?' Je sais que ma mère nous laissait pour pouvoir écrire et qu'elle faisait appel à des baby-sitters; et je me suis toujours rendu compte que c'était une joie pour elle de nous retrouver, quand elle rentrait à la maison. Je suis sûre maintenant qu'elle a passé plus de temps avec nous qu'elle ne l'avait décidé et que cela a gâché un peu sa carrière d'écrivain mais je ne m'en apercevais pas à ce moment-là; j'étais très fière que ma mère fasse quelque chose de mieux que la cuisine. Je trouvais stupides les mères de mes amies qui n'avaient pas envie de travailler. Que ma mère ait le temps d'écrire ou non, pour moi elle était un écrivain.

Un de mes amis m'a dit un jour: 'je ne connais pas d'autres gens que vous qui travaillent tous les deux tout en ayant des enfants'. Je lui ai répondu: 'Ce n'est pas une raison parce qu'on travaille tous les deux pour ne pas avoir d'enfants. Qu'on n'en *veuille* pas soit! mais pas sous prétexte qu'on ne pourra pas concilier la profession et les enfants.' Une amie, dont le métier - qu'elle aime passionnément - est très absorbant, est en congé de maternité à l'occasion de la naissance de son premier enfant. Je lui ai demandé si elle comptait vraiment recommencer dès le milieu du mois prochain. Elle m'a dit "Bien sûr!' et quand j'ai réinsisté: 'Vraiment? Tu vas recommencer?, elle a fini par dire: 'je ne sais pas très bien. 'Tu vois, lui ai-je dit, c'est passionnant d'avoir un enfant, nous t'avons bien prévenue que la vraie raison pour laquelle les mères ne retournent pas facilement travailler, ce n'est pas parce qu'elles sont passionnées par leurs enfants, c'est plus fort que l'attrait du travail."

Il y a beaucoup de jeunes femmes qui concilient fort bien leurs tâches maternelles et leur profession; évidemment certaines s'en tirent mieux, à moindres frais que d'autres. N'oublions pas qu'il existait aussi dans le passé des femmes ayant une profession bien qu'elles fussent en moins grand nombre. Heureusement les problèmes des mères qui travaillent sont plus aisément résolus aujourd'hui grâce à la plus grande mobilité professionnelle et économique; ce qui permet à de plus en plus de femmes d'interrompre leur travail ou leur carrière quand elles désirent avoir des enfants. J'ai rencontré l'une d'elles qui faisait des projets dans ce sens: "Je crois profondément à la nécessité de tenir compte de différents cycles dans la vie. Il y a des années où il faut être disponible aux enfants encore petits et puis d'autres périodes où l'on est en mesure et en droit d'arranger sa vie au mieux de ses désirs et de ses capacités, de jouer un rôle dans la société. A présent ma carrière est reléguée au second rang mais cela changera dans quelques années. Je connais les difficultés des femmes qui restent à la maison; pour certaines cela va jusqu'à une impression de vide désolant et jusqu'à la dépression. Elles se demandent si elles sont condamnées à ne plus pouvoir rien faire à quarante ans, du fait qu'elles sont pour l'instant clouées à la maison avec leurs enfants à élever. Ce n'est pas facile quand on va à un dîner et que les autres convives, femmes comprises, n'ont plus aucune considération pour votre rôle de maîtresse de maison et de mère. Ils demandent: 'Vous ne faites *que ça?*' Les femmes exigent davantage et elles devraient l'obtenir. Mais il y a d'autres considérations.

Je m'élève violemment contre cette façon de bouleverser son existence du jour au lendemain en jetant par dessus bord ce qu'on avait coutume de faire jusque-là. La vie perd son sens et son organisation, c'est le chaos. Si vous avez envie de ne plus rester au foyer et que vous vouliez recommencer à travailler ou suivre des cours de droit, par exemple, vous devez préparer vos enfants, votre mari, assez longtemps à l'avance, les adapter progressivement à ce changement de cap, leur donner le temps d'évoluer dans ce sens. C'est l'ensemble qui doit petit à petit comprendre l'intérêt de votre décision. Votre mari, vos enfants, vous-même, n'êtes pas de simples pions qu'on peut pousser au petit bonheur. J'ai vu des femmes se lancer dans des jobs qu'au fond elles ne désiraient pas tant que ça, sans vraiment savoir où cela les mènerait et quel serait leur avenir. Il y a bien des femmes dans des bureaux qui font le travail le plus fastidieux qui soit, alors que ce serait beaucoup plus intéressant pour elles d'élever leurs enfants."

Dans ces changements que nous voyons s'opérer sur le front domestique, il semble que ce soit entre les parents et les enfants que les plus grands progrès soient faits. Cela peut être dû, entre autres causes, au fait que contrairement à la vaisselle et à la lessive, les enfants ne donnent pas seulement du mal mais aussi beaucoup de joies. En contre partie des côtés ingrats de la tâche parentale et du temps qu'elle prend on y trouve des avantages tangibles et immédiats. Les pères, qui prennent une plus grande part maintenant à l'éducation et aux soins des enfants, découvrent de merveilleuses satisfactions.

Lors de ma première rencontre avec Valérie et Richard, au cours d'un week-end estival, il y a de nombreuses années, je fus impressionnée par leur amour et l'aisance avec laquelle ils semblaient appliquer les nouveaux idéaux. Elle était une grande fille maigre en blue jeans; elle préparait un diplôme et son mari commençait à faire carrière dans les affaire; c'était un garçon sympathique et affable. Il portait leur nouveau-né dans un sac ad doc sur son dos. Ils parlaient de leur avenir avec gravité et je pensais qu'ils avaient une manière charmante de démarrer dans leur apprentissage de jeunes parents; leur aisance dans ce rôle me frappait. Six ans après le bébé que j'avais connu suspendu aux épaules de son père, était devenu un actif gaillard tandis qu'un second bébé avait pris sa place dans les bras paternels. Pourtant ce qui m'avait semblé devoir se passer si facilement n'avait en réalité pas été aussi simple que ça. Richard m'en fit le récit: "Quand je devins père, j'avais une mentalité affreusement vieux jeu, ce qui provoqua des disputes homériques entre nous, la cause principale de cet état d'esprit étant que j'avais grandi dans un foyer où la femme était aux pieds de son mari; en effet ma mère était aux petits soins pour mon père, lui, ne levait pas le petit doigt pour l'aider dans la maison. Donc, je suivais ce modèle que j'avais toujours eu sous les yeux, au moment de la naissance de Peter. Valérie et moi eûmes des empoignades violentes à propos de couches ou de biberons. Je me suis senti un pauvre mâle exploité et maltraité mais je vous assure que je remercie le ciel tous les jours de m'avoir donné Valérie comme épouse car, si elle n'avait pas eu cette attitude, jamais je n'aurais été si proche de mes enfants et jamais je n'en aurais ressenti une pareille joie.

Maintenant je n'ai plus aucune réticence et nous partageons toutes les responsabilités et toutes les tâches. J'avoue qu'il m'arrive encore de trouver qu'elle exagère, quand je rentre éreinté par une journée de bureau particulièrement dure avec une seule envie: dormir, et qu'à trois heures du matin, Valerie me dit: 'le môme hurle, c'est ton tour.' Mais je ne me bats plus car, entre le 'môme' et moi, sur le coup de trois heures du matin, il se passe quelque chose d'absolument merveilleux. Je me sens tellement, tellement attaché à mes enfants que je suis le premier étonné de mes sentiments. Ceci-dit, cela ne m'empêche pas de reconnaître la limite; il y a des choses que j'aime faire avec eux, d'autres que je refuse.

Par exemple je n'ai jamais raffolé de lire des contes à Peter; j'ai eu l'impression très vite que je lui racontais des bobards; un enfant sent très bien cela. Alors nous faisons d'autres choses ensemble. J'adore préparer le petit déjeûner pendant le week-end avec sa collaboration. Peter vous dira volontiers que c'est *lui* qui réussit les meilleures omelettes et que Papa en est vexé à mort. Et cette intimité avec eux, cette joie qu'on a à être ensemble, c'est la conséquence des disputes fameuses que nous avons eues, Valérie et moi, quand, au début, nous nous sommes demandé comment nous allions les élever. Nous n'en avions pas parlé avant de nous marier ni même avant la naissance des enfants mais c'est l'attitude de ma femme concernant le partage des tâches qui a opéré ma conversion!"

Si pour Richard les joies paternelles sont venues au terme d'un chemin difficile, elles peuvent être aussi vives quand il est convenu et planifié depuis longtemps que le père partagera tout avec la mère. Jeff est écrivain, son épouse aussi. Ils croient tous les deux à une entière égalité entre les sexes. Il sait aussi qu'il désire tenir une grande place dans la vie de sa fille. Le temps qu'il a passé avec elle en promenade dans les rues et à la campagne, pendant le petit déjeûner, quand il prenait soin d'elle, lui a appris sur la vie des quantités de vérités auxquelles il n'avait jamais eu auparavant l'occasion de réfléchir. "Quand on s'occupe d'un enfant, on développe en soi des facultés jusque-là en sommeil et qui vous permettent de voir vraiment l'être humain en face de vous. Cela signifie que cette petite fille, on va comprendre son chagrin, donc savoir la consoler; on rira des choses qui l'amusent; on l'empêchera de se faire mal; on apprendra soi-même à exprimer ses sentiments avec le plus de vérité possible au contact de la franchise si totale d'un jeune enfant. Ils ne peuvent déguiser leur joie, leur peine ou leur culpabilité."

Dans un article qu'il écrivait à ce sujet* il disait: "C'est la vie quotidienne aux côtés de ma fille qui m'a appris ce qu'était l'ouverture à l'autre; et l'attaque lancée par les féministes contre la façon qu'ont les hommes se s'enfermer à l'abri de leur cuirasse me semble particulièrement justifiée; elle témoigne même, à mon avis, d'une profonde vérité psychologique. J'en suis venu à penser qu'un des meilleurs chemins, pour accéder à plus de sincérité dans les rapports conjugaux, est la participation active des pères à toutes les tâches concernant l'éducation des enfants."

Bien sûr, il est strictement impossible pour la majorité des hommes de jouer un rôle à plein temps dans la vie quotidienne des enfants. Comme le disait Lou: "Les

---

* L'article de Jeff Greenfield intitulé: "What I learned About Myself From My Three-Year-Old Daughter" a paru dans Glamour (Sept. 1976). Sa femme Carrie Carmichael a écrit un livre intitulé: "Non-sexist Child Raising (Boston: Beacon Press 1977)

affaires en premier sinon nous coulons." Les exigences de la vie d'un médecin éloignent Ken de sa femme et de ses enfants parfois plusieurs jours d'affilée. "Ken est un très bon médecin, très consciencieux mais il aimerait mieux prendre son petit déjeûner avec nous plutôt que de commencer ses visites à sept heures du matin, nous dit Lori, bien sûr, il n'a pas le choix mais il souffre de ne pouvoir être avec nous."

Même en tenant compte de toutes ces difficultés, si l'on regarde d'où l'on est parti, on peut considérer qu'il y a un grand bout de chemin parcouru en direction du partage équitable des charges entre époux. Une femme mariée depuis vingt neuf ans et qui a une vie conjugale heureuse avoue qu'elle a eu tort d'avoir voulu endosser seule tous les fardeaux. "J'ai réalisé au bout de huit à dix années de mariage que je faisais complètement fausse route. Je courais comme un croquemitaine après les enfants et leur faisais ranger à la hâte leurs jouets éparpillés aux quatre coins de la maison pour que tout soit impeccable quand Papa rentrerait; ainsi le cher Papa n'aurait pas à souffrir du désordre... ni d'aucun tracas. Je crois que c'est la plus grosse gaffe que j'ai commise dans nos relations conjugales: je l'ai trop protégé contre le désordre et la pagaïe qu'il déteste. Aussi ne s'est-il jamais rendu compte de la lutte que je devais mener pendant la journée. Je faisais régner une tension à couper au couteau parce que le pauvre papa a eu une journée très fatigante au bureau, il ne faut surtout pas faire de bruit etc...' Il faut dire que j'ai été élevée dans cette atmosphère. 'Attention à Papa, ne fais pas ça à cause de Papa; que va dire Papa?' et nous devions être sages comme des images à son retour à la maison. Au diable, cette conception de la sagesse! C'était pour moi et les enfants la fin de la journée, avec tout ce que cela implique d'énervement et de fatigue; n'empêche que je faisais tout ce que je pouvais pour épargner la moindre

180

contrariété à mon mari et que cela se terminait souvent par une surenchère de criailleries entre les enfants et moi; c'était stupide de ma part; il aurait beaucoup mieux valu qu'il marchât sur les jouets. J'aurais dû lui dire: 'écoute, cela me rendrait service que tu ranges avec eux pendant que je prépare le repas.' J'ai commis une grosse erreur, je m'en rends compte maintenant mais à ce moment-là, j'en étais inconsciente."

Peu importe les idées régnantes lorsque vous vous êtes mariés; l'immense avantage des temps présents, c'est l'accent porté sur l'accord passé entre les époux qui réfléchissent de concert à la façon d'aborder le mieux possible ensemble les responsabilités de l'existence quotidienne, le partage des tâches, l'éducation des enfants.

Ben et Kitty, en plus de vingt ans de mariage, ont expérimenté bien des façons de se répartir devoirs et responsabilités entre eux et vis à vis du reste de la famille. "Cette histoire de responsabilités, nous confiait Ben, a de multiples épisodes dans certaines familles, notamment dans la nôtre. Chez nous, il y a même eu complète interversion des rôles. Au début nous avions une conception très traditionnelle de notre rôle à chacun; exception faite que Kitty était très en avance sur son temps puisqu'elle avait une profession au départ. Mais elle continuait à me voir fonctionner avec les attributions du mari d'autrefois. Puis les années ont passé et surtout je me suis mis à faire du journalisme indépendant en restant à la maison. J'ai pris des tas d'attributions qui sont censées en général être le lot des femmes; comme, de son côté, Kitty s'est lancée dans une grosse affaire qui lui prend beaucoup de temps et d'énergie, je m'occupe de plus en plus de la maison et des enfants. Du coup je m'aperçois que jusqu'à maintenant j'étais ignorant de bien des choses, en particulier de la place énorme que prend dans le cœur des enfants celui des parents qui reste à la maison. Un père, qui n'est pas au foyer, ne pourra jamais en avoir conscience ni le comprendre. Vos enfants ont beau savoir qu'ils peuvent vous appeler à l'aide ou venir vous trouver, ce n'est pas la même chose du tout que si vous êtes à côté d'eux à plein temps.

J'adore me trouver en tête à tête avec ma machine à écrire dans le plus grand silence et sans qu'on vienne me déranger, mais si un enfant est à la maison et qu'il a besoin de quelque chose, forcément je m'en occupe. Quand j'en ai parlé à Kitty, elle m'a dit: "J'ai connu ça pendant des années.' Je commence à comprendre les mères de famille. Pour moi j'estime qu'on a la responsabilité de faire le travail qui attend, peu importe qui se trouve sur place pour s'en charger. Cela commence à devenir un vrai casse-tête si on a une mentalité traditionnelle. Pour nous cela a marché comme sur des roulettes parce que nous nous sommes toujours fichu de ce qu'en pouvait penser le voisin. Nous avions assez d'assurance en nous du fait que nous nous appuyions toujours l'un sur l'autre. Si cette entente nous avait manqué, jamais nous ne nous en serions sortis; en sens inverse toutes ces expériences en commun ont renforcé notre harmonie conjugale."

Ce soutien mutuel peut exister avec ou sans cette interversion des rôles. Sylvia et Gordon ont vécu trente années de mariage heureux sans éprouver le besoin d'une "libération". Maintenant les enfants sont élevés; Sylvia est décoratrice; elle a choisi ce métier comme conséquence naturelle de son goût pour la peinture mais elle ne désire pas pour autant devenir une femme totalement émancipée et changer d'attributions à l'intérieur du couple. "Quand on commence à jouer le jeu homme contre femme et vice-versa comme on le fait de nos jours, il faut être très prudent dans la façon dont on envisage son rôle. Les rôles masculin et féminin sont à mes yeux très importants. La féminité est précieuse, je suis très contente de ce qui m'échoit en tant que femme. Quels qu'aient été les orages dans notre vie, et bien sûr nous avons connu des hauts et des bas, nous nous en sommes très bien sortis en restant ce que nous sommes, chacun dans notre rôle."

Il est bien évident que le bonheur ou le malheur d'un couple dépend de la nature, de la façon d'être, de chacun des conjoints. La qualité de l'union conjugale est subordonnée à ce qu'en ressentent et à ce qu'en font les partenaires, cela indépendamment de la stabilité ou du changement des attributions réciproques. Le changement n'est qu'une option parmi d'autres et il y a bien des moyens d'atteindre un équilibre satisfaisant. Certains couples ne se sentent pas aussi concernés que d'autres par cette question. Ils entendent parler des nouvelles idées et voient s'il y a lieu d'en tenir compte dans leur propre ménage.

En ce qui nous concerne, mon mari et moi, il est certain que de choix en choix nous avons pris un chemin très différent de celui suivi par mes propres parents. De toute façon, dans ma famille, j'étais un peu l'originale; la première à avoir fait des études à l'Université, la première à quitter la maison, la première à aller vivre dans une grande cité et, pour couronner le tout, j'ai épousé un garçon d'un milieu totalement différent du nôtre (originaire du Middle West). Déjà dans ma famille il y avait une forte propension à l'indépendance: mes parents n'avaient-ils pas été pionniers à leur manière en quittant les champs et les fermes où s'étaient installés leurs ancêtres, pour venir habiter la ville, où il leur avait fallu s'acclimater et trouver en eux de nouvelles aptitudes pour réussir dans un milieu urbain? Bien avant que les premières féministes n'aient fait parler d'elles, mes tantes avaient, elles aussi, quitté la campagne pour la ville et ce, non pour se marier mais pour travailler dans des bureaux ou des usines. Evidemment elles avaient choisi plus tard de se marier et d'avoir des enfants, de même que ma mère avait travaillé jusqu'à ce que sa famille devînt pour elle une occupation à plein temps. Et si je réfléchis à la façon dont nous avons été élevés mes frères et moi, j'estime, à la lumière des principes actuels d'éducation, qu'avant la lettre mes parents ont su ne faire aucune discrimination entre les sexes; mon père par exemple m'a appris à conduire à l'âge de douze ans; il comptait sur mon aide dans les travaux de peinture, de charpenterie, pour réparer l'auto et arranger une lampe. Mes frères, eux, apprenaient à faire la cuisine, la vaisselle et à repasser leurs vêtements. Nous étions tous mis à contribution pour accomplir les tâches qui se présentaient, sans distinction de sexe ni d'âge.

Bien que mon père travaillât au dehors, il prenait autant de part que ma mère à notre éducation. A eux deux ils étaient le centre de notre univers. Bien qu'ils eussent l'air solidement ancrés dans leur coin de terre et soumis à des règles de vie soigneusement établies, ils m'ont transmis, je crois, mon amour des voyages, mon goût de la nouveauté. En effet ils nous emmenaient dans leur vieille guimbarde, une Ford ou une Chevrolet, voir tout ce qui semblait digne d'intérêt à une distance raisonnable; le Capitole et l'Institut Smithson à Washington, les chûtes du Niagara, la foire Internationale à Chicago, les tertres à serpents dans l'Ohio, la couleur des feuillages à l'automne. Nous nous empilions dans ces véhicules glacés pour aller voir les divers membres de la famille disséminés dans des fermes en pleine montagne, sans crainte d'affronter les tourmentes de neige. Oui, nous étions "très famille" et on s'occupait bien de nous; ce qui nous a donné tout un trésor de souvenirs où nous aimons à puiser maintenant que mes frères et moi avons fondé des familles et sommes mariés depuis de longues années.

Il est curieux de constater combien, issus du même terreau, nous avons tous trois évolué différemment dans notre conception de la vie familiale. Mes frères sont encore

184

plus attachés que mes parents à la vie de famille: l'un père de quatre enfants, l'autre de cinq. Mon benjamin Jerry a suivi le même chemin que mon père et travaille dans la même compagnie. Il a épousé une fille de la région, Joanne, généreuse et facile à vivre. Mon frère aîné David a épousé Ann, une fille du Sud, et s'est installé en Georgie où il a un cabinet de dentiste et fait des cours à l'Université. Ils sont heureux en ménage, satisfaits des activités de leurs enfants et des leurs. Ce sont de bons pères, qui bricolent beaucoup dans la maison et sont follement fiers de leur famille et de leur home. David a aidé Ann à emmailloter les nourrissons et à leur faire faire leurs rots après la tétée tandis qu'il cumulait un gagne-pain quotidien et l'école dentaire. Ils ont supporté des années de privations avant de pouvoir jouir d'une bonne vie confortable. Ann adore s'occuper de sa maison qui est toujours bondée de marmaille, amis, voisins et famille. La femme de Jerry, Joanne, cumule les attributions de ménagère, mère de famille et un travail à plein temps; et cela, depuis le début de leur mariage avec quatre enfants à élever. Maintenant ils sont presque des adultes. Je suis frappée de voir combien peu d'importance ont eu leurs rôles respectifs dans la façon dont ils considèrent leur mariage. Ils ne se sont, je crois, jamais posé la question de leur identité. Les deux couples ont traversé, je le sais, des périodes difficiles, où ils avaient besoin d'appui, où ils désiraient quelque chose en plus ou quelque chose d'autre où ils s'efforçaient de mieux s'aimer. Mais jamais ils n'ont formulé ces frustrations ou ces aspirations en ces termes: "Il faut que je me trouve moi-même." Cette recherche, ils la feront peut-être plus tard, vers leur maturité, comme cela arrive souvent, mais jusqu'à présent, ils ne se sont jamais demandé :"Qui suis-je, que fais-je, où vais-je?" Ils sont passés par ces moments où l'on se sent à mille lieues l'un de l'autre, où les doutes, des sentiments de colère, de rejet, perturbent la relation des époux, ce qui est inévitable dans un mariage au long cours, mais ils semblent avoir harmonieusement résolu leurs problèmes. Je pense que cela est dû chez eux à un sens inné de la justice et à une personnalité bien assise.

Depuis que Joanne s'est mise au travail, elle et Jerry partagent plus équitablement les charges domestiques. Ils ont une soirée de loisirs chacun à leur tour. Evidemment dans les discussions provoquées par les menées du mouvement féministe, ils se sont posés mutuellement des questions au sujet de leurs droits et devoirs mais ils se sont regardés vivre et ont conclu que cela n'allait pas si mal que ça, qu'ils n'avaient pas besoin qu'on leur fît la leçon. Ils adaptent leurs rôles aux besoins du moment. Il y a eu une levée de boucliers un moment, sous prétexte que chaque année il prenait des vacances seul pour aller chasser et jouer au golf, alors qu'elle ne partait jamais de son côté. Mais il a dit: "Je ne t'ai jamais dit de ne pas partir, ça fait dix huit ans que tu parles d'aller à New York, mais tu ne mets jamais tes projets à exécution." Et Joanne a réalisé qu'il lui fallait s'en prendre à elle seule si elle restait au logis. Aussi maintenant elle s'offre de fréquentes tournées à New York pour nous voir ou aller chez des amis.

Aucun d'eux n'a pour le moment exprimé le besoin de se connaître mieux; ils *savent* qui ils sont, ils *savent* ce qui leur convient. S'ils ont ressenti à certains instants un besoin intense d'affection ou ont nourri quelques griefs, quelques rancoeurs, ils ont su s'en libérer. Le lien qui les unit s'est trouvé renforcé et ils en constatent la solidité, quand un coup familial survient ou qu'ils ont à traverser une épreuve personnelle. Ce sont des gens foncièrement bons et solides pour qui le mariage est synonyme de fidélité mais ils conservent leur liberté de choix. Ils savent qu'un divorce est toujours possible et ils ont même déclaré qu'ils pouvaient très bien vivre

186

les nôtres. Si vous ne vous faites pas une échelle de valeurs personnelle à laquelle vous serez fidèles, votre vie deviendra le jouet des circonstances et virera dans une direction où vous ne vouliez pas aller. J'aime qu'on ait des racines - qu'il s'agisse de ma famille, de moi, de nous - et j'aime que ma vie ait un sens. Les principes sont très abstraits si on ne les fait pas passer dans le quotidien. Il faut les incarner dans la réalité et ce n'est pas facile.

Nous avons une action créatrice sur nous-mêmes et sur notre couple par les choix que nous faisons et par la priorité que nous donnons à tel ou tel aspect de notre vie. On peut dire que d'une part les choix sont *limitatifs;* si nous jetons notre dévolu sur cette personne, sur ce style de vie, nous éliminons du même coup les autres possibilités. Mais d'autre part ces choix nous libèrent, ils nous permettent d'explorer la vie sous ses aspects jusque-là ignorés; ils nous donnent une certaine souplesse d'adaptation à l'intérieur même de notre engagement conjugal, de cette forme de mariage pour laquelle nous avons opté. Un homme m'a dit: "Ce qui cimente solidement notre union, c'est l'accord qui s'est fait entre nous sur les valeurs que nous mettons en premier et sur la façon dont nous les ferons passer dans le quotidien. Si ma femme ne tenait pas aux mêmes raisons de vivre que moi, je crois que notre mariage ne serait pas authentique."

Je n'ai pas eu dans le passé à prendre des décisions sur la répartition des rôles, des travaux et des responsabilités parentales, entre George et moi puisque dès le départ, nous avions les mêmes conceptions de vie, que nous étions faits de la même étoffe et que, par conséquent, l'accord entre nous était absolument spontané. Les changements actuels dans la société forcent les êtres à se décider ou pour ou contre ce mouvement en avant. Ils peuvent soit se cramponner aux anciens idéaux soit en créer de nouveau.

indépendamment l'un de l'autre mais qu'ils préfèrent rester ensemble. Dans cette famille et dans celle de mon autre frère, maintenant que les enfants grandissent, je constate une nouvelle vie sentimentale, comme si leur intimité, longtemps submergée par le flot des occupations, renaissait plus chaude et envelopante. Vraiment je crois qu'on peut qualifier leur union de réussie.

Quand j'ai discuté avec certains couples des mutations actuelles dans le mariage, ils ont toujours mentionné deux points qui font, selon eux, qu'une union est réussie ou non: le libre choix et l'accord des conjoints sur les données de base du mariage. La solidité des fondations de leur Maison du Mariage, la résistance victorieuse aux épreuves et aux pressions tant extérieures qu'intérieures, la façon dont ils édifieront ou réédifieront leur foyer, tous ces facteurs de réussite vont dépendre du sentiment qu'ils ont d'avoir choisi librement leur chemin, de l'avoir suivi et d'être capable de recommencer ce voyage ensemble. On peut faire tout un catalogue des éléments propres à constituer un bon mariage: admiration, respect, facilité de dialogue, confiance, intimité, adaptabilité, compréhension, empathie, complicité, acceptation de soi-même et de l'autre. Mais en admettant même que tous ces facteurs soient réunis, le mariage ne sera réussi qu'à la condition que les deux conjoints tombent d'accord implicitement ou explicitement sur le sens qu'ils veulent donner à leur union dès le départ, sur ce qu'ils en attendent et sur les valeurs communes sur lesquelles ils s'appuieront. Avouons que la partie n'est pas facile à jouer même si tous les atouts sont de notre côté.

Comme me le disait une jeune femme: "Nous sommes embarqués pour une navigation périlleuse; il est très difficile de vivre et plus nous assumons de responsabilités, plus il nous faut devenir conscients des priorités qui sont les nôtres. Si vous ne vous faites pas une échelle de valeurs personnelle à laquelle vous serez fidèles, votre vie deviendra le jouet des circonstances et virera dans une direction où vous ne vouliez pas aller. J'aime qu'on ait des racines-qu'il s'agisse de ma famille, de moi, de nous- et j'aime que ma vie ait un sens. Les principes sont très abstraits si on ne les fait pas passer dans le quotidien. Il faut les incarner dans la réalité et ce n'est pas facile.

Nous avons une action créatrice sur nous-mêmes et sur notre couple par les choix que nous faisons et par la priorité que nous donnons à tel ou tel aspect de notre vie. On peut dire que d'une part les choix sont *limitatifs*; si nous jetons notre dévolu sur cette personne, sur ce style de vie, nous éliminons du même coup les autres possibilités. Mais d'autre part ces choix nous libèrent, ils nous permettent d'explorer la vie sous ses aspects jusque-là ignorés; ils nous donnent une certaine souplesse d'adaptation à l'intérieur même de notre engagement conjugal, de cette forme de mariage pour laquelle nous avons opté. Un homme m'a dit: "Ce qui cimente solidement notre union, c'est l'accord qui s'est fait entre nous sur les valeurs que nous mettons en premier et sur la façon dont nous les ferons passer dans le quotidien. Si ma femme ne tenait pas aux mêmes raisons de vivre que moi, je crois que notre mariage ne serait pas authentique."

Je n'ai pas eu dans le passé à prendre des décisions sur la répartition des rôles, des travaux et des responsabilités parentales, entre George et moi puisque dès le départ, nous avions les mêmes conceptions de vie, que nous étions faits de la même étoffe et que, par conséquent, l'accord entre nous était absolument spontané. Les changements actuels dans la société forcent les êtres à se décider ou pour ou contre ce mouvement en avant. Ils peuvent soit se cramponner aux anciens idéaux soit en créer de nouveaux.

Aujourd'hui les couples ont besoin plus que jamais de prendre une conscience plus aiguë de ce qu'ils veulent, de ce à quoi ils peuvent consentir. S'il y a accord au départ entre les conjoints sur les principes importants, ils surmonteront plus aisément les mutations à venir.

14

Qu'est-il advenu de la sexualité?

L'instinct sexuel est une pulsion puissante qui est universellement à la base de la relation conjugale; il fait l'objet à l'heure actuelle d'un intérêt particulier. Nous y pensons, en parlons; tout ce que nous voyons nous y ramène. Nous sommes en quête de nouvelles expériences, essayons d'en faire personnellement un meilleur usage mais quelle que soit notre attitude à son égard, il est là avec sa force dynamique qui colore nos comportements, notre façon d'être et de vivre. De nos jours la place du sexe dans le mariage est une question qui nous préoccupe plus que jamais.

Pat, mariée depuis trois ans, attend incessamment la naissance de son premier bébé. Voici ce qu'elle m'écrit: "Je m'étais figuré que le sexe, après le mariage, devait être ennuyeux puisque les gens mariés semblent obsédés de leurs histoires sexuelles dans leur lit ou dans celui des autres. Je pensais que quelque chose devait intervenir après le mariage pour tout gâcher. Comment cela pouvait-il être différent de ce que j'avais connu dans les aventures que j'avais eues avant? Eh bien j'ai eu une bonne surprise!

Peut-être qu'au bout de vingt ans de vie conjugale ce n'est pas pareil mais pour nous cela continue à être merveilleux. Nous sommes contents de savoir que les gens mariés, quelle que soit leur classe d'âge, font plus l'amour qu'autrefois*."

Cette réaction première de Pat n'a rien d'étonnant étant donné tout ce qui s'est passé dans le domaine sexuel ces dix dernières années. Plus d'inhibitions; on ne parle plus que de libération sexuelle et l'on désire des activitis sexuelles mieux réussies dans un environnement différent. Jamais auparavant dans les annales de la société on n'avait connu un tel déferlement d'informations vraies et fausses sur ce sujet. Ces problèmes concernant l'amour physique envahissent à tout propos notre vie quotidienne, spécialement par les média. Hélas! tout ce que nous voyons et entendons contribue davantage à nous embrouiller les idées qu'à nous éduquer. Car on confond trop souvent la pulsion génitale, que les média nous vante comme une marchandise qui a besoin de campagnes publicitaires, et l'amour physique entre époux, qui est impliqué dans une relation d'amour et de fidélité réciproques. Il en résulte qu'on oublie trop souvent la signification spécifique du sexe dans la vie conjugale avec tout son contexte de tendresse et d'empathie. Certains couples savent cependant discerner la différence et voir ce qui les rend heureux; ils sauront mieux résister à ce mouvement national en l'honneur de l'orgasme "toujours et partout!"

Andrea nous explique ce qu'elle pense de la différence entre l'amour physique dans le mariage et l'amour physique en dehors du mariage. "Je suis une personne qui a de gros besoins à ce point de vue, peut-être est-ce à cause en partie de cela que nous nous sommes choisis, mon mari et

---

* V. l'article de Jane Brody "Sexuel Activity Found Increasing" dans le New York Times (Oct. 8 1974).

192

moi: nous avons la même intensité de désirs sexuels. Il adore les étreintes et moi les caresses et tout marche à merveille. On ne va pas s'écrier: 'Sapristi! On n'a pas fait l'amour depuis tant et tant de temps...' Ca vient comme ça. Ce n'est pas du tout la même chose que lorsque je sortais avec des garçons où il faut se bousculer parce qu'on n'a pas beaucoup de temps devant soi. Je préfère infiniment comme c'est maintenant. Beaucoup de mes amies célibataires me racontent des histoires à dormir debout où il est question de coucheries qui durent des heures et des heures et de liaisons dont on ne sait même plus le nombre. Avec mon mari, je ne calcule pas en ces termes."

Oui, le sexe dans le mariage est bien différent, c'est à la fois faire l'amour; échanger des paroles tendres; se laisser emporter ensemble par un torrent de passion tumultueux, mystérieux; s'unir et communier; passer du bon temps et avoir du plaisir. Mais, de nos jours, on se demande si cela suffit.

Dolorès, qui est mariée depuis plus longtemps qu'Andréa, l'exprime à sa façon: "J'ai eu parfois l'impression fugitive, avec des gens que j'ai rencontrés avant et après mon mariage, que j'aurais pu faire avec eux des expériences sexuelles très excitantes. C'est une pensée qui vous vient comme ça à différents moments de la vie, en différents endroits. Avec toute la littérature qu'on peut lire et les films qu'on nous passe, je sens par moments que nous n'avons pas beaucoup d'audace dans notre vie sexuelle et puis je me dis que cela n'a pas une énorme importance; le mariage est bien plus précieux."

Tout le monde n'a pas la tête sur les épaules comme Andréa et Dolorès face à l'explosion sexuelle de ces dernières années. L'Américain est véritablement obnubilé par cette question et l'exploitation qu'on en a fait n'est pas sans avoir affecté peu ou prou le commun des mortels.

Notons la réflexion de Dolorès jugeant que, malgré sa bonne entente conjugale, son mari et elle ne sont peut-être pas dans la norme parce qu'ils manquent "d'audace". Notre préoccupation nationale a donc fait son entrée dans la chambre conjugale en même temps que les nouvelles idées sur les attributions respectives etc. Il est malaisé de se mettre dans une juste perspective pour trouver au sexe la place qui lui convient dans notre vie.

Loin de moi l'idée de fustiger la recherche d'une attitude moins guindée et moins moralisante vis à vis de l'amour physique. Nous autres Américains, à cet égard, avons été trop longtemps assez prudes. Mais avons-nous vraiment su assouplir notre comportement et la révolution sexuelle a-t-elle apporté des bienfaits vraiment valables dans la vie des couples mariés? Nous en savons plus sur le sexe qu'autrefois; nous avons appris que le but du sexe est le plaisir, non plus uniquement la procréation, et également qu'hommes et femmes ont des aptitudes équivalentes et des droits égaux à l'amour sexuel bien réussi. Nous disposons d'une nouvelle source de précieuses informations au sujet de l'activité sexuelle, d'un point de vue biologique, et du vaste champ de notre sexualité. Mais la connaissance nous en est parvenue colorée par ces différents facteurs: l'importance soudaine accordée au moi; les idées confuses répandues sur le nouveau rôle de l'homme et de la femme dans ce domaine particulier; et les campagnes orchestrées par les média. On dit d'excellentes choses à la télévision et on en écrit d'excellentes aussi dans les magazines et les journaux sur la question. C'est là que la majorité des gens puise ses informations et fait son éducation. Sans mésestimer le rôle heureux que jouent les média pour avertir le grand public, on peut se permettre tout de même de faire certaines réserves. Leurs informations sont souvent exagérées ou distordues. Ce qui en a résulté, ce n'est pas seulement une démystification du sexe mais aussi une tendance à le dépouiller de son contexte et à le présenter à part comme un problème, un objet, une fonction, existant en soi et pour soi. Mais quand nous sommes mariés nous ne faisons pas l'amour dans un espace vide, dans un lit isolé du reste du monde et hors de la vie quotidienne. Le sexe est pour nous non pas un acte physique qui n'inclut que la minute présente mais un acte qui implique toute une durée, passé, présent et avenir.

La révolution sexuelle a braqué l'attention sur des aspects purement génitaux et mécaniques du sexe: orgasme de l'homme, orgasme de la femme, qualité, quantité, fréquence, gadgets, conseils, produits, etc. etc. Le sexe a été décrit, analysé, programmé; on l'a mis en diagramme, on l'a traité médicalement; en fait on l'a dépouillé de tout l'érotisme qu'il pouvait comporter. On en a fait une marchandise à vendre, à l'égal d'un détergent ou d'une nouvelle marque d'auto. C'est devenu le produit de consommation idéal pour notre société également dite de consommation. Quelle convoitise humaine peut-on flatter avec le plus de profit, sinon cette pulsion de base qui rend hommes et femmes si vulnérables, qui les asservit, les manipule? Quelles en sont les conséquences? On a créé de nouveaux besoins, ravivé les anciens, multiplié les frustrations, les insatisfactions, fait briller des plaisirs inédits - et peut-être inaccessibles. - Nous sommes entièrement saturés: nous avons tout, depuis les ouvrages sur les techniques sexuelles jusqu'aux cliniques spécialisées dans la thérapie sexuelle; depuis les articles dans des revues spécialisées jusqu'aux magazines vendus dans les kiosques et aux programmes de télévision. On nous rabat les oreilles des désirs que nous devrions ressentir; on nout dit comment les assouvir... nous en venons à nous demander si par hasard il ne nous manquerait pas le tout dernier tuyau et si nous sommes à la hauteur des prouesses amoureuses des Jones.

Plus personne ne peut se satisfaire tranquillement de ses rapports sexuels. Un homme me disait: "C'est ma préoccupation numéro un, tout le monde lit ce qu'on écrit là-dessus; si on n'est pas content de sa vie sexuelle, on vous donne des conseils: essayez ceci, tentez cela, vous devriez faire comme ceci etc. Moi j'ai l'impression d'être revenu sur les bancs de l'université avec les livres de classes de première année. Je trouve comique de penser que le sujet au programme, c'est le sexe." Ce est pas si comique que cela. Je ne m'amuse pas à voir certaines personnes se croire des experts patentés, devenir des robots habiles dans leur spécialité mais totalement déficients en ce qui concerne la vie des sentiments. Je trouve fâcheux qu'après avoir lu, étudié, regardé et entendu comment il faut faire, on découvre tout à coup qu'on n'est pas conforme, qu'on ne peut pas, qu'on n'y arrive pas; et pour finir on conclut qu'on n'est pas fait comme les autres et qu'il faut se soigner. La nouvelle abondance d'informations sur le sexe, les moyens mécaniques, les stimulations pornographiques, les pélerinages aux cliniques spécialisées, ne se sont pas révélés être la panacée ou les aphrodisiaques sur lesquels on comptait, et cela pour une bonne raison: parce qu'on est complètement passé à côté de ce que signifie le sexe dans le contexte d'une relation interhumaine.

Même les couples les plus solides peuvent être affectés par cette atmosphère qu'on respire. Rick et Barbara sont mariés depuis près de six ans. Ils ont deux enfants; ce sont des gens sensés, qui savent ce qu'ils veulent et le sens à donner à leur vie. Jamais je n'aurais pensé, quand je les ai interviewés, qu'ils auraient pu subir cette influence délétère, eux qui sont en possession de toutes leurs facultés critiques et qui peuvent, de ce fait, rester imperméables aux boniments des média.

Rick m'a dit: "Nous avons peu de contacts dans la vie quotidienne avec ces idées de la révolution sexuelle. Nous sommes avant tout orientés sur la famille et nous avons un sympathique cercle amical de gens qui ont les mêmes idées. Je crois qu'on a tendance à l'heure actuelle à mettre l'accent non pas seulement sur l'harmonie sexuelle, la réussite au lit mais aussi sur la fréquence. On se dit qu'il y a quelque chose qui cloche si on ne fait pas l'amour tous les soirs. Personne ne vous avertit que, lorsqu'on a des enfants et une vie professionnelle fatigante, on ne peut sans doute pas s'offrir cela aussi souvent, même si Raquel Welch apparaissait sur le seuil de votre chambre à coucher. Cela n'a rien à voir avec l'amour que vous portez à votre femme. D'être bien ensemble me semble le principal. Cela n'empêche pas que ce soit merveilleux, au milieu des tensions et difficultés de l'existence de grimper dans son lit et de se tenir tout simplement blottis l'un contre l'autre."

J'ai admiré leur réalisme, je me suis dit: vraiment ces gens-là ont les pieds sur la terre mais Barbara est intervenue sur ces entrefaites. "Tu as raison, mais quelquefois on a des doutes, on se dit: tiens! est-ce que c'est normal? Est-ce que nous sommes tout à fait normaux? Nous réfléchissons aux sentiments qui nous lient et nous savons bien que tout va bien de ce côté-là. Mais alors pourquoi est-ce que nous ne faisons pas l'amour cinq fois par semaine au lieu de deux? Vous voyez, dans ce climat général, on perd facilement le sens de ce qui est bon dans ce qu'on a, et on a tendance à se référer à des stastistiques qu'on a aperçues dans un magazine à grand tirage. Tous ces débats dans les média au sujet de la thérapie sexuelle et les statistiques de fréquence dans l'acte lui-même accroissent votre anxiété. Comment cela pourrait-il *l'apaiser* puisque la première chose qui vous vient à l'esprit c'est: 'Est-ce que je correspond à la moyenne? Et vous ne vous sentez absolument normale que si 'ça' se passe pour vous chaque jour et deux fois le dimanche."

Les couples mariés, sous la pression de ces idées

communément répandues, se croient tenus de rivaliser non seulement par la fréquence de ces ébats sexuels mais par la qualité des performances, qualité qui est associée au rôle de la femme et à celui de l'homme. Chacun est appelé à une plus grande intensité de plaisir. Peut-elle avoir plusieurs orgasmes? Et lui? Peuvent-ils se satisfaire mutuellement et ensemble? Les deux partenaires attendent chaque jour davantage de l'autre. Nous disposons aujourd'hui de moyens de comparaison: un homme va voir un film pornographique et compare ses propres prouesses avec celles des étalons donnés en modèle, sans penser un seul instant qu'il a peut-être fallu quatre jours et de nombreux moments de repos pour obtenir cette érection triomphale qui dure autant que le film. La femme, elle aussi, se compare aux vedettes de ces films et, si elle ne se sent pas à la hauteur, pense qu'elle n'est pas 'normale'.

Debbie, mariée depuis sept ans et mère de deux enfants, nous raconte: "J'ai une amie l'autre jour qui m'a appelée au téléphone pour me confier: 'Je ne peux plus du tout avoir d'orgasme, que faut-il que je fasse? Elle me demande ça à moi qui n'en ai pas la moindre notion; comment veut-elle que je lui donne un conseil? Nous nous sommes mises à parler, cela m'a donné l'idée de me documenter et maintenant je ne suis même pas sûre moi-même d'en avoir jamais éprouvé."

En fait Debbie peut très bien avoir eu des orgasmes mais qui ne correspondent pas forcément à la description qu'elle en a lue, un ouragan de force 10 sur l'échelle de Richter. A présent elle va être rongée de tous les doutes à cet égard. De plus les descriptions mentionnent rarement tous les ingrédients qui vont faire de l'orgasme un tel raz de marée. Certes nous avions besoin d'être informés sur ces questions (à cause de l'ambiance puritaine et des tabous sexuels qui nous avaient, dans le passé, empêchés de connaître pleinement les plaisirs des sens) et de libérer nos forces passionnelles dans l'acte d'amour. Nous avions besoin également de dépouiller le sexe d'un certain iédalisme et de profiter de la délicieuse expérience bien terrestre qu'il nous offre. Mais ne sommes-nous pas en train de lui demander quelque chose d'impossible? Ce qu'il nous faut absolument à l'heure actuelle, c'est de trouver le moyen de digérer dans tout ce fatras ce qui est assimilable, de l'intégrer non seulement dans notre corps mais également avec notre coeur car il s'agit de mieux vivre des *relations humaines.*

On nous presse de devenir plus communicatifs, au cours de nos activités sexuelles, de nous dire dans cette proximité créée par l'amour physique ce qui nous ferait plaisir, ce dont nous avons besoin. Mais quelle ouverture peut exister dans un domaine aussi délicat si nous ne nous sommes pas exercés à nous ouvrir l'un à l'autre et à communiquer franchement à propos des autres réalités de la vie? Beaucoup de personnes sont encore gênées de parler de leurs rapports sexuels, qu'elles soient au lit ou ailleurs. L'homme est irrité si on le guide et la femme hésite à exprimer ce qu'elle désire. Il est nécessaire que nous sortions de nos rôles, tels que la tradition les concevait, pour évoluer vers plus d'ouverture et d'intimité.

Notre conditionnement à l'intérieur de nos rôles sexuels est encore plus gênant en ce domaine de l'amour physique que dans les autres sphères de nos activités, et les incompréhensions qui en résultent encore plus douloureuses et plus difficiles à digérer. Nous avons beau savoir, grâce aux tonnes d'ouvrages sur le sujet, qu'hommes et femmes ne sont pas fondamentalement différents quant à leurs désirs sexuels et à leur fonctionnement ou dans leur faim d'intimité, de plaisir, d'accueil à l'autre, les vieux rôles se réendossent encore: l'homme est l'élément actif, l'initiateur, le conquérant; la femme est passive, répond aux initiatives venues du mâle et se laisse conquérir.

Gail est divorcée; à trente sept ans elle a perdu beaucoup de ses illusions. Voici ses commentaires: "L'initiative de la performance est encore laissée à l'homme. Il peut tout à coup avoir l'idée de le faire sur le plancher de la cuisine au lieu de le faire au lit mais il ne va pas plus loin et c'est ça qui est tragique. Les hommes ne peuvent pas supporter que ce soit les femmes qui aient des idées et des initiatives. Ils veulent toujours que ça se passe sur le modèle de la bataille où la femme dit 'non, non, non! quand le mâle s'avance en conquérant. Alors, quand ils se trouvent en face de femmes qui en veulent, qui savent qu'elles auront du plaisir et qui recherchent ce plaisir, c'est la catastrophe; ils sont complètement déboussolés; ils ont l'impression que ça leur fait perdre la face. En tant que femmes, vous n'avez pas tellement le choix: vous le laissez jouer son vieux rôle, garder sa manière de faire bien routinière ou vous vous faites ce qui vous donne du plaisir toute seule, même quand il est au lit à côté de vous. De toutes façons ça ne marche pas bien.

Comme le docteur Yael Danieli, un psychologue, le faisait observer: "j'ai découvert que beaucoup d'hommes prennent prétexte de la 'libération' de leurs femmes pour rester passifs. Ils disent: 'Si tu veux te conduire en femme libérée, à toi de faire l'homme. Je resterai tranquille et tu me feras l'amour.' Cette décision qu'ils prennent entraîne beaucoup de ressentiments de part et d'autre. Autre conséquence: l'impuissance. La femme se sent frustrée sur tous les tableaux."

La femme subit cette pression qui l'oblige à changer coûte que coûte. Elle doit aller à l'encontre de toutes les vieilles prescriptions concernant le comportement sexuel. Elle reproche souvent à l'homme sa difficulté à évoluer au même rythme et lui, il lui en veut d'aller trop vite dans cette recherche d'interversion des rôles, et d'être trop exigeante à son égard. Le Hite Report* ne nous montre que trop clairement l'angoisse fémininie et les erreurs largement répandues à propos de la nature de la sexualité féminine. Les psychologues nous parlent de l'angoisse des hommes, de l'impuissance qui en résulte, des doutes et des craintes qui les rongent. Personne ne peut offrir la solution claire, il ne s'agit toujours que d'une cote mal taillée.

Un conseiller sexuel raconte le fait suivant: "Une femme et un homme viennent me voir. Elle a essayé de changer sur beaucoup de points son comportement et est en pleine évolution. Son mari, un professeur de musique est un homme effacé qui ne semble pas répondre aux exigences nouvelles qu'elle porte en elle. Plus elle devenait active, communicative et efficace dans certaines des choses qu'elle tentait, le pire c'était entre eux. Elle devenait agressive, lui faisait sans cesse des reproches et il n'avait pas assez de force pour riposter. Leurs rapports sexuels avaient toujours été bons avant, donc ce n'était pas une question organique mais à présent ils ne pouvaient plus faire l'amour et c'est la raison pour laquelle ils venaient me consulter, se demandant s'il n'y avait pas à l'origine de leur problème un mauvais fonctionnement des organes sexuels. Au fur et à mesure qu'ils m'exposaient leur cas, je me rendais compte que le sexe n'était pas en cause. Bien qu'elle fût apparemment enchantée de s'être libérée du rôle social classiquement attribué aux femmes, elle exigeait qu'il continuât à jouer son rôle de mâle. Quand ils comprirent que lui aussi avait envie de changer et changeait, la situation s'améliora et leurs rapports sexuels redevinrent harmonieux. Par conséquent on ne pouvait attribuer cette évolution heureuse de leurs rapports à une

* L'analyse faite par Shere Hite des trois mille réponses à son questionnaire a paru dans The Hite Report: A Nationwide Study of femal Sexuality (New York: Macmillan Publishing Co 1976).

abondante information sur les questions sexuelles mais à leur possibilité de sortir ensemble de leurs rôles stéréotypés."

Il ajouta: "Je sais bien que nous pouvons isoler cette question du sexe et en discuter à l'exclusion du reste mais quand on change, ce n'est pas le sexe seul qui se trouve impliqué. Il y a tout l'environnement, tout le champ inclus dans le rôle masculin et dans le rôle féminin à travers l'existence quotidienne. Je pense d'ailleurs que cette évolution sera bénéfique."

La femme, elle aussi, encourt des reproches; on lui fait endosser une part des responsabilités dans cette insatisfaction sexuelle générale. Elle désire les changements, lui peut-être aussi, mais pour que l'évolution soit harmonieuse, il faut que les deux partenaires prennent en considération leur conditionnement masculin et féminin avec toutes leurs implications. D'une certaine façon la révolution sexuelle et le changement de rôles qu'elle prône ont attiré l'attention sur les contrastes existant entre l'homme et la femme et, de ce fait, les ont exagérés. Les femmes, toutes libérées qu'elles soient, ont conservé leur attitude traditionnelle de passivité et d'impressionnabilité et les hommes conservent leur rôle machiste, encouragés qu'ils sont par le mythe de la prouesse dans la quête du plaisir sexuel génital.

Ce serait très bénéfique si chacun prenait un peu des merveilleuses qualités de l'autre. Les femmes ont toujours associé l'amour physique avec beaucoup de tendresse donnée et reçue dans un climat de chaude intimité; du côté des hommes il y avait l'assurance en soi, la force, l'élan physique; il faudrait que ce devint un fonds commun où puiser sans distinction de sexe. Chacun jouirait ainsi d'une expérience totale où l'affection qui préside à l'acte d'union serait aussi importante que la réussite physique en elle-même. Les hommes et les femmes de notre époque ont grand besoin d'apprendre à se supporter patiemment et à se connaître en profondeur.

Aussi répandus que soient les problèmes sexuels, ils ne sont tout de même pas le lot universel. Il y a beaucoup de couples riches de bon sens qui n'avalent pas sans discernement tout ce que racontent les média, qui n'essaient pas de mesurer leurs prouesses à celles des modèles tant vantés. On n'entend pas parler d'eux parce qu'ils sont satisfaits et que tout marche bien pour eux. "Pas de nouvelle, bonnes nouvelles." Nombreux sont ceux qui ont des rapports sexuels réussis et en progrès. Mais la satisfaction sexuelle ne donne pas matière à articles sensationnels, ce n'est pas un sujet que s'arracheront les journalistes amateurs de gros sous. Eux-mêmes ne seront pas portés à faire de la littérature sur leur calme bonheur tandis que les angoissés ont aisément la plume à la main pour conter leur infortune.

Kevin, est un bel Irlandais, aux cheveux noirs et aux yeux bleus, nous dit que les gens de son entourage ne sont pas obnubilés par le sexe; ils en parlent assez librement mais pas au point de dire: "Mon mari est sensas au lit ou ma femme est très portée sur la bagatelle." Ils savent que cela ne regarde personne, que c'est leur problème personnel. Ils parlent éventuellement du sexe - qui n'en parle pas? - mais ce n'est pas leur sujet de conversation favoris, ils ont d'autres préoccupations. Pour ma part j'estime que les hommes tiennent autant à la joie de l'intimité à deux qu'au plaisir physique qui s'y associe. Ils sont centrés sur leur vie familiale comme moi et ils ont de bonnes relations avec leurs femmes. La tendresse a beaucoup d'importance à leurs yeux; ils se sentent bien chez eux. Et les gars que je connais depuis belle lurette, puisque nous étions ensemble sur les bancs de l'école, ceux qui ne sont pas encore mariés, cherchent une fille qu'ils aimeraient et qui les aimerait, pas juste quelqu'un à mettre dans leur lit."

Dans un milieu différent, nous entendons le même son de cloche. Carl, un homme cultivé, la quarantaine bien passée et qui vit en Californie nous dit: "Diable! Ce n'est pas facile de garder la tête froide dans une atmosphère pareille." Carl est d'origine européenne, il a beaucoup de charme et d'esprit. Il a épousé, voici quinze ans, une femme qu'il a rencontrée à New York. Selma, tel est son nom, est de douze ans sa cadette; ils ont affronté toutes les mutations, passant d'une conception classique du mariage à un nouvel équilibre de leurs perspectives en tant qu'individus et en tant que couple; cette évolution s'est faite grâce à des discussions sur leurs rôles respectifs. Carl déclare: "J'en ai par-dessus la tête d'entendre tous ces discours sur le sexe, l'argent, le rôle de l'homme et celui de la femme, comme si tout cela suffisait à définir l'essentiel d'une relation. Si on reste à ce niveau, bien sûr il y aura toujours des problèmes et un malaise général. Mais si vous acceptez l'idée que ni le sexe ni l'argent ni même le mariage ne sont des divinités mais simplement les symboles d'une relation, vous percevez un fil conducteur. Vous pouvez vous gaver de statistiques que vous interpréterez avec cynisme et sans aller très profond dans votre analyse comme le font les écrivains pop; vous pouvez étudier les statistiques établies en faveur des hommes devenus impuissants à cause de l'agressivité féminine; évidemment vous y trouverez des arguments dans le sens des idées à la mode. Moi je dis que beaucoup de couples, dont nous sommes, vivent à tant de niveaux différents et ont tant d'approches variées que leurs cas ne cadrent absolument pas avec ceux exposés par les média; ils n'ont que faire des injonctions proférées par ces groupes de voyeurs. Entre un mari et une femme, il y a tant de choses qui ne peuvent s'exprimer par des statistiques; cette création continue qu'est leur vie conjugale n'a rien à voir avec ces courbes et ces chiffres.

La première fois que je suis arrivé dans ce pays, il y a vingt ans, on ne se souciait pas du tout du plaisir de la femme dans l'acte sexuel. Je me rappelle à cette époque avoir demandé à un ami si sa femme avait du plaisir avec lui; ma question en elle-même l'a choqué. Son attitude semblait dire: 'Qui, moi? Pourquoi m'en soucierais-je? Moi qui désirais contenter ma femme, je passais à ses yeux comme un original, un "Européen!" Mais de nos jours tout a changé et on tient compte du plaisir de sa partenaire."

La révolution sexuelle, malgré de fâcheuses retombées a tout de même été bénéfique, surtout dans le domaine conjugal. Nous avons appris que toute l'habileté technique imaginable ne peut remplacer la tendresse et la confiance entre deux partenaires et que ces qualités sont essentielles, si on veut expérimenter l'union sexuelle dans sa plénitude. Nous avons pris conscience, comme jamais auparavant, des liens directs qui existent entre des relations sexuelles continûment harmonieuses et les composantes indispensables d'une heureuse union conjugale.

Il fallait dépouiller le sexe de toute la mythologie qui en masquait la véritable importance afin qu'il prît dans notre vie sa véritable place, non comme une force dont nous ne serions pas maîtres mais comme une réalité bénéfique qui nous permet de nous exprimer pleinement notre amour tout en nous donnant du plaisir l'un à l'autre. Il fallait peut-être aller à l'extrême opposé des conceptions anciennes pour retrouver le juste équilibre, le rôle qui lui convenait dans notre vie. Je pense que de plus en plus de couples sont en train de faire cette heureuse expérience tranquillement, sans le crier à la ronde.

Roberta, une étudiante de vingt ans, me semble représenter assez bien cette catégorie de jeunes qui a sur le sexe un nouveau regard ainsi que sur les rapports homme-femme. "Je ne me lancerais pas dans le mariage ou dans une quelconque liaison avec l'idée que l'amour physique sera aussi sensationnel que dans mes précédentes expériences. Du fait qu'on vit ensemble, les relations sexuelles apportent plus d'épanouissement, plus de compréhension mutuelle dans la vie quotidienne. Vous en avez une conception moins romantique; ce n'est pas plus sensationnel mais c'est meilleur dans la mesure où l'on se sent lié l'un à l'autre par un engagement vécu dans la tendresse; on se sent plus sûr de l'avenir de cet amour, donc plus en sécurité.

Quand je me marierai, j'espère que notre amour continuera à croître de cette façon, au même rythme que tout ce qui constituera notre vie ensemble. Si celle-ci ne progresse pas, alors l'amour sexuel en pâtira. Je crois que l'harmonie sexuelle d'un couple est très importante pour que le mariage marche bien mais inversement je ne crois pas que le mariage soit forcément réussi parce que l'entente sexuelle est bonne. Moi je vois les choses dans cet ordre: s'il y a harmonie entre les deux conjoints dans la vie, alors il y en aura aussi dans le domaine des relations sexuelles."

En effet la relation que nous vivons dans le mariage, la façon dont nous nous regardons nous-mêmes et notre partenaire, ces deux facteurs ont une énorme influence sur nos rapports sexuels. C'est sur cette base que travaillent le thérapiste et le conseiller spécialisés dans les problèmes sexuels; et les changements qui se sont opérés en ce domaine, lors de la dernière décade, nous en ont rendus encore plus conscients. Jim note certains aspects positifs de la révolution sexuelle. Marié depuis sept ans, il s'entend très bien avec sa femme sans avoir besoin des conseils prodigués par les média, mais il nous dit: "Depuis dix ans on en a tellement entendu sur la sexualité; il y a eu tant de bisexuels, des types normaux, si fait que les gens ont tendance à s'ausculter: 'il me manque peut-être quelque chose, ai-je des pulsions refoulées etc.' Je pense que ça rend plus tolérant et aussi plus curieux de savoir la vérité sur soi-même, de connaître ses besoins et ses aspirations; cela me paraît le gain le plus important de tout ce remue-ménage, au lieu de rester braqué sur son style personnel dans l'acte sexuel. Au fond cela nous a poussé à réfléchir un peu plus."

Il y a peut-être des gens qui, plus que d'autres, ont besoin de stimulants, exemple ce Barry dont j'ai cité plus haut les paroles et qui voulait changer tout le temps de partenaire. Mais cette sorte d'excitation peut n'avoir qu'un temps et s'émousser bien vite tandis que le plaisir dont on jouit avec le même partenaire, dans une relation qui dure, peut fort bien résister au temps et à l'habitude. Quand on accorde une trop grande importance aux aspects génitaux du sexe, on finit par le mal comprendre et par confondre la sensation immédiate avec le plaisir qui continue à croître à l'intérieur d'une relation constante.

Au bout de dix ans de mariage, voici les conclusions auxquelles Christine est arrivée: "En fait, il me semble qu'à notre époque le sexe tend à être dissocié du reste de l'existence. La littérature et les média nous induisent à penser qu'il est une entité; il est supposé être une activité à laquelle il faut sans cesse penser. C'est peut-être possible pour les gens qui se concentrent uniquement là-dessus comme cet ami qui est venu dîner chez nous avec sa petite amie, l'autre soir. Leur unique sujet de conversation, pendant toute la soirée, a été les exercices auxquels ils se livrent pour être dans la meilleure forme possible pour leurs ébats sexuels. Cela avait un côté plutôt comique. Elle portait une robe rouge très décolletée avec une encolure croisée et il plongeait sans cesse la main dans l'échancrure. Ils ne parlaient que de ça: au fond toute la journée, ils se préparaient à ça. Il s'agit sans doute pour eux de la préoccupation *essentielle* de leur vie et cela semble leur demander une forte concentration.

Quand le sexe devient ainsi une entité qui se suffit à soi-même, on ne voit plus assez qu'il est dépendant de nos humeurs et des saisons de notre vie; pourtant c'est une constatation évidente pour la majorité des gens mais qui va à l'encontre de ce que nous répètent les penseurs à la mode de ce temps: 'Si vous n'êtes pas satisfaits sexuellement, faites donc le nécessaire; trouvez-vous un nouveau partenaire; ayez plus de plaisir; faites une thérapie de groupe; lisez des manuels spécialisés; sachez vous mettre dans l'état favorable. 'il s'agit toujours d'être prêt à... Mais qui parle des moments où l'on ne se sent pas envie de... Pourtant ces moments-là existent pour chacun d'entre nous. Pour moi le mariage me donne l'impression qu'il y a le temps pour tout et un temps pour tout.''

Le spontanéité ne peut se programmer, quoi qu'en pense le mouvement des Total Women* dont la dernière manifestation fut d'attendre leurs époux sur le seuil de leurs maisons avec un costume de cowgirl très olé-olé sous leur manteau. On ne peut prévoir les moments où l'on y sera disposé et les moments où cela ne marche pas; il n'y a donc pas de planification possible. Bien sûr nous avons tous besoin d'imprévu, d'une certaine dose de fantaisie. Mais pas tous les soirs. Qu'est-ce qui arrivera quand notre manifestante sera à court de déguisement? Je ne peux m'empêcher d'imaginer le soir où le mari d'une de ces Total Women, las d'avoir chaque jour à son retour jeté sa sacoche pour la poursuivre autour de la table, rugira: 'Pour l'amour du ciel, aujourd'hui, je ne veux qu'une chose; un petit martini et mon journal!' C'est la joie qui engendre la spontanéité, la joie de se sentir libre tout à coup de faire tout ce qui vous plaît, sans artifice ni contrefaçon.

Le mouvement des Total Women - ô combien

---

* THE TOTAL WOMAN par Marable Morgan (Old Tappan, N.J. Fleming H. Revell. Co. 1973) LA FEMME TOTALE Editions Select 1975. Voir aussi l'article de Joyce Maynard: "The Liberation of Total Woman" dans the New York Times Magazine (Sept. 28, 1975) et les réactions dans les lettres de réponses parues dans le New York Times Magazine (Oct. 19, 1975).

fascinantes!- était lui-même un phénomène de la révolution sexuelle, contre-coup des progrès accomplis par les femmes dans l'accès à l'égalité et lié aussi à de nouvelles libertés sexuelles. Mais on constate que cette ruée vers toutes sortes d'expérimentations et d'explorations perd petit à petit de son élan. La curiosité s'émousse, les gens en ont trop vu. Une jeune femme de vingt trois ans, qui travaille pour une agence de publicité, dit que le climat nouveau qui régnait dans le domaine sexuel lui avait fait croire qu'elle pouvait tout se permettre - et nous voyons dans ses paroles l'écho de bien des réflexions que nous avons entendues émanant des hommes. "Voici comment ça s'est passé pour moi. Par suite de la révolution sexuelle les femmes se disaient: 'O.K. je peux y aller sans me gêner, je peux aller dans un bar et m'offrir le premier gars que j'aborde, on ira chez moi et tout ira comme sur des roulettes'. Ce que j'ai constaté neuf fois sur dix c'est qu'au réveil, on n'a aucune envie de regardr le type, même pas envie de le connaître mieux. Et quand il ouvre la bouche, on est sûr et certain de n'avoir rien de commun avec lui."

En tout cas elle a l'honnêteté de le dire crûment au lieu de se donner pour si totalement libérée que l'acte sexuel n'a pas plus d'importance qu'une simple poignée de mains.

La révolution sexuelle nous aura permis de mieux explorer et connaître notre moi sexuel mais, d'avoir libéré le sexe, nous sommes devenus plus sages. Certes avant la révolution, nous étions inhibés, puritains, refoulés, hypocrites. Puis le cirque a fait sa tournée dans notre ville, nous nous en sommes donné à coeur joie tels des écoliers qui courent comme des fous dans le champ de foire au milieu des attractions et des baraques de friandises. Tout était gratuit, on était entièrement libre. Maintenant le manège se ralentit; on a tous trop mangé de sucre candi, on en est même un peu écoeuré; alors on est assagi, on révise ses positions, ses perspectives. Nos rôles et nos attitudes se sont modifiés grâce à cette pérode de bouleversements mais nous avons acquis une vue plus claire de ce que sont le sexe et la sexualité. C'est la plus grande partie de nos existences mais ce n'en est qu'une partie... Un des numéros du cirque, mais il y en a bien d'autres au programme.

15

Fidélité sexuelle

Qu'advient-il de la fidélité sexuelle au milieu de tous ces changements de conceptions que doivent affronter les couples en ce domaine? L'idée de la libération sexuelle et le relâchement général des moeurs ont-ils modifié cette donnée fondamentale du mariage, à savoir la fidélité exclusive des époux l'un à l'autre? Comment s'accommode de la récente émancipation des femmes la morale ancienne, indulgente aux hommes et sévère pour les femmes?

Nous avons déjà vu que la fidélité sexuelle est considérée comme faisant partie de l'engagement contracté par les époux. Nous avons vu aussi que les jeunes femmes sont revenues de certaines illusions relatives à leurs nouvelles libertés sexuelles. Mais qu'en est-il en réalité? La société a toujours vu d'un oeil plus favorable les frasques extra-conjugales des hommes. Il arrivait que des mères et des belles-mères pussent dire à la petite épouse éplorée: "Il fallait bien t'y attendre. Tu sais comment sont les hommes. Ils sont toujours les mêmes. Tâche de passer l'éponge, il te reviendra." Cette morale 'deux poids, deux mesures', il importe peu qu'on la justifiât en expliquant que l'homme n'était qu'un grand gamin ou qu'il était soumis à une nécessité biologique inéluctable ou même que c'était l'apanage du mâle en tant que chef. Cela se faisait et les femmes en souffraient, même quand la petite épouse, pleine de grandeur d'âme, pardonnait à l'époux volage.

Nous avons de bonnes raisons de croire que cette morale à double face fonctionne encore dans notre société contemporaine. Les hommes pour la plupart rencontrent plus de tentations sur leur chemin; peut-être en ont-ils plus le désir et sont-ils jugés avec plus d'indulgence que les femmes s'ils y cèdent. Mais les femmes ayant des chances plus nombreuses, à présent, d'avoir leur indépendance économique, de l'instruction et une plus grande mobilité d'emploi (et parce qu'en même temps le climat sexuel est plus permissif et la contraception plus efficace) on peut dire que la balance ne penche plus toujours du même côté pour ce qui est de la fidélité des conjoints. Du moins sur le plan théorique, ce que l'homme se permet, la femme aussi peut se le permettre.

Avant d'examiner la signification de ce changement dans le domaine conjugal, laissons s'exprimer un homme qui proteste avec indignation contre la généralisation abusive faite à propos de l'infidélité masculine. A l'occasion d'un interview de groupe, j'avais demandé aux hommes leur état d'esprit en ce qui concernait une morale sexuelle identique pour les deux sexes, la liberté sexuelle des femmes et le fait qu'elles avaient à présent plus de facilité pour adopter le même comportement que les hommes. "Mais enfin, s'était-il écrié, pourquoi ne parle-t-on jamais des braves types de maris qui ont toujours été impeccables - le ton était véhément et la logique sans défaut — Vous trouvez que c'est tellement nouveau les frasques féminines? Nous, nous avons toujours été fidèles, travailleurs et tout et tout... et puis quand on revient à la maison qu'est-ce qu'on trouve? notre femme faisant la petite folle avec le laitier. Cela ne date pas d'aujourd'hui. Parlez donc un peu plus des maris fidèles, voulez-vous? De ceux qui n'ont jamais fait un seul écart hors du droit chemin conjugal. Vraiment moi je trouve que ce pays est plein de gars O.K. à ce point de vue."

De quelque manière que vous interprétiez cette déclaration, il n'en demeure pas moins qu'il y a beaucoup de maris et de femmes qui ne se livrent pas à des relations sexuelles hors mariage. Il y a un fait que l'on oublie souvent en regardant les statistiques des infidélités: certaines ne sont que des accidents uniques au cours de toute une vie conjugale. A étudier toutes les statistiques nous devons convenir que la femme a autant d'atouts dans son jeu que l'homme; elle joue à égalité avec lui et il semble que le résultat de ce nouvel équilibre de pouvoirs soit une consolidation de la fidélité conjugale, non par coercition-ce qui n'a jamais servi à rien - mais grâce à une réévaluation de ce que signifie cet engagement contracté entre les époux.

Une jeune femme d'à peine trente ans m'exprime à sa façon ce qu'elle a pu constater: "Cela ne se passe plus comme autrefois dans la mesure où la femme est parfaitement en droit de s'insurger si son mari triche. Elle n'est plus obligée de le supporter. Jusqu'à présent la femme était toujours perdante; c'était à elle de se montrer conciliante, de se résigner aux fredaines de son mari. A présent elle n'a plus besoin de courber l'échine parce qu'elle a le choix entre plusieurs solutions. Si elle a une situation, elle peut quitter le domicile conjugal ou trouver un autre compagnon ou demander à son mari de jouer cartes sur table. Il ne s'agit pas tant de décider ensemble de *ne pas se tromper* ou d'avoir des aventures *chacun* de son côté mais d'être disposé à jouer franc jeu."

Plutôt que de trouver tout naturel d'être fidèle-ou de ne pas l'être-les couples acceptent maintenant plus volontiers d'appronfondir le sens de cette fidélité dans leur vie, ses bienfaits, et ce qu'ils en pensent l'un et l'autre. Dave nous donne le point de vue masculin. Il est cadre dans une affaire de publicité et en est à son second mariage. "Dans le passé les hommes n'ont jamais respecté ce contrat de fidélité, que ce fût ouvertement ou en cachette. Bien sûr les femmes ne s'en sont pas privées, elles non plus, mais sans l'afficher. Maintenant, pour la première fois, nous réalisons ce qu'est la fidélité et l'envisageons avec beaucoup de sérieux; pour la première fois les hommes se sentent tenus de respecter leur engagement et ils se demandent - comme moi - si les femmes ont le même état d'esprit.

Je pense que, pour les femmes heureuses en ménage, cela n'a jamais été un gros problème; mais à l'heure actuelle les hommes aussi ont à affronter pour de bon leurs respondabilités. Chacun renonce à quelque chose dans le mariage, notamment à une certaine liberté d'action. Les femmes, je le reconnais, ont pas mal de concessions à faire; je ne pense pas que ce soit dans le domaine de la fidélité qu'elles rencontrent le plus de difficultés; c'est plus facile pour elles d'être fidèles. Les hommes, eux, font un sacrifice beaucoup plus grand car ils ont toujours eu l'idée qu'ils avaient le *droit* de batifoler un peu. Même s'ils se sentaient un peu coupable - comme ce fut le cas pour moi autrefois - ils considéraient que ces plaisirs extra-congujaux leur appartenaient de droit, que c'était une prérogative masculine; enfin ils avaient toutes les bonnes raisons qu'on peut imaginer. Aujourd'hui je n'ai plus du tout la même manière de penser. Evidemment je me permets tout ça en imagination mais cela reste uniquement dans ce domaine et je trouve que c'est bien comme ça."

Je conçois qu'on puisse discuter cette affirmation de Dave, comme quoi la fidélité conjugale coûte moins aux femmes; en tout cas plus nous observons autour de nous, plus nous faisons parler les gens, et plus s'affermit notre vieille conviction: la fidélité est plus aisée à assumer de part et d'autre quand règnent entre époux l'amour, la compréhension mutuelle et le respect.

Mais le point sur lequel Dave attire notre *attention* est le changement d'attitude masculine* à l'égard de la fidélité. Dans un récent sondage un seul homme sur quatre disait croire encore à la morale que j'appelle "deux poids, deux mesures". Trois sur quatre acceptaient l'égalité de droits et de devoirs entre les deux sexes. Dans un rapport sur ce sondage, l'auteur concluait: "Nous constatons que la grande majorité des personnes interrogées affirme que les hommes et les femmes doivent jouir des mêmes droits et être tenus par les mêmes obligations dans le domaine sexuel; voici un changement de mentalité véritablement révolutionnaire."

Je ne pense pas que ce changement soit dû à de la grandeur d'âme manifestée tout à coup par ces messieurs ni qu'une soudaine inspiration leur dicte de se comporter désormais en maris fidèles. Je crois qu'il faut invoquer plusieurs raisons à cela, notamment l'idée chère à nos contemporains que l'individu a intérêt à contrôler lui-même certains aspects de sa vie plutôt que d'être subordonné à un contrôle venant de l'extérieur. Cet idéal d'égalité entre les deux sexes imprègne tous les domaines de l'existence et a fini par influencer les conceptions en matière de fidélité conjugale; celle-ci paraît à présent bénéfique. Si nous savons reconnaître sa valeur et si nous choisissons de notre plein gré d'en faire une règle de vie, nous nous y tiendrons bien plus aisément que si l'on nous y contraignait de l'extérieur.

Une autre cause de ce changement de mentalité me

* La citation et les informations concernant le changement de mentalité masculine vis à vis de la morale à double face se trouvent dans le rapport de Morton Hunt: Special: Today's Man, Redbook's Exclusive Gallup Survew on The Emerging Male dans Redbook (Oct. 1976)

paraît être le fait que l'on est affronté à l'heure actuelle à de nouvelles libertés, à des aspects jusqu'alors inconnus de la réalité. La libération du sexe dans les autres sphères de notre vie devait obligatoirement affecter la façon d'envisager le mariage et mettre à l'épreuve la doctrine de l'exclusivité sexuelle.

La fidélité sexuelle a toujours été l'un des principes de base du mariage, qu'il fût ou non observé dans la pratique. Il y a beaucoup d'excellentes raisons à cela; d'abord par idéal: deux êtres, qui s'aiment et qui partagent tout, vont à fortiori vouloir garder l'un pour l'autre ce privilège de la plus grande intimité qui soit; il y a ensuite des raisons pratiques: autrefois où il n'y avait pas de procédés efficaces de contraception, seuls les rapports sexuels exclusifs de la femme et de son mari pouvaient donner à celui-ci la garantie que l'enfant était bien de lui et, de ce fait, donner à l'enfant légitimité et droit à l'héritage. Le mariage était également le seul domaine où l'on était autorisé à avoir des rapports sexuels. Il existe peu de sociétés au monde* où le sexe ait été l'objet de mesures prohibitives aussi généralisées quand il se pratiquait hors mariage, prémaritalement, ou d'autre façon. De plus le "devoir" conjugal était une obligation légale: le mari était positivement en droit d'exiger de son épouse qu'elle s'acquittât de ce devoir; et ce, d'une manière beaucoup plus directe et coercitive qu'elle n'était en droit de le lui *imposer* à lui. Aujourd'hui il est peu de personnes qui pensent être en droit d'exiger les services sexuels de l'autre. Notre corps et ses fonctions nous appartiennent en propre, c'est un

*George Peter Murdoch écrivait en 1949, dans une étude comparative des diverses sociétés du globe: "Une prohibition des relations sexuelles hors mariage ne semble pas exister dans plus de cinq pour cent des peuples. Les relations prémaritales par exemple prévalent dans 70% des cas étudiés. Social Structure (New York: The Free Press 1949) pp. 263-265.

droit inaliénable; nous en disposons en toute liberté; personne ne peut exercer de contrainte sur nous à cet égard.

Le psychiatre Dr Robert Seidengerg* écrivait à ce propos: "Des êtres doués d'autonomie ne peuvent être considérés comme du cheptel; le contrat conjugal n'inclut pas la possession des corps ou le 'libre accès'. Parallèlement la valeur d'un être ne dépend pas de son comportement sexuel. Juger une personne morale uniquement sur la base de son impeccabilité dans le domaine sexuel, c'est se faire une piètre idée de la vertu. L'exigence de fidélité sexuelle n'a été souvent que le moyen déguisé de s'approprier le corps et l'âme de l'autre. Pour garantir cette 'fidélité', les droits de l'homme et les libertés qui doivent prévaloir dans la société se voient abrogés. La fidélité sexuelle qui accompagne généralement une relation d'amour et de dévouement n'a été que trop fréquemment associée à des rapports de force entre l'époux considéré comme le propriétaire et l'épouse devenue sa chose."

En fait la relation sexuelle entre deux êtres est un symbole d'intimité, un don précieux qu'on se fait mutuellement, un signe de l'amour et de la loyauté dans lesquels on veut vivre. Il y a une parenté profonde entre l'union physique et nos sentiments d'attachement et d'affection. Quand nous étions petits enfants, nous avons été portés dans les bras, caressés, consolés, embrassés par nos parents et avons ainsi appris à associer la proximité physique avec l'amour et un sentiment de totale sécurité, d'autant plus dans notre civilisation où l'enfant, dès son plus jeune âge voit seulement un ou deux adultes se pencher sur lui et s'occuper de lui.

---

* Citation empruntée au livre du Dr Seidenberg intitulé: "Marriage Between Equals: Studies From Life and Literature (New York: Anchor Press / Double day 1973) p. 329.

217

A cause de cette première étape de notre vie et parce que nous avons intégré dans nos conceptions personnelles l'habitude ancestral d'union sexuelle avec un seul individu, la fidélité sexuelle ne correspond pas uniquement à un engagement contracté dans le mariage ou à une conviction soit morale soit religieuse, mais elle est un besoin profondément enraciné dans notre vie émotionnelle la plus instinctive et associé à notre quête de sécurité sentimentale.

C'est une des raisons pour laquelle, une fois que nous avons pris un engagement fondé sur la confiance mutuelle dans ce domaine où sont si intimement impliqués nos besoins de sécurité et de dépendance affective, si l'autre vient à manquer à sa promesse, cette tromperie prend les dimensions dramatiques d'un véritable abandon et éveille à la fois jalousie et angoisse. Même lorsque les partenaires ont accepté la possibilité d'infidélité de part et d'autre, on voit réapparaître des réactions identiques*: ressentiment, impression de rejet, colère et insécurité, parfois aussi

---

* Je parle de réactions identiques car c'est le résultat des observations que j'ai pu faire et je le maintiens en dépit des interprétations erronées qui répondirent un peu partout à la parution de notre ouvrage: "Mariage Open", il y a cinq ans. Nous décrivions dans ce livre, mon mari et moi, ce que nous pensions être le type idéal d'un mariage où les époux jouiraient d'une parfaite égalité; notre but était de fournir aux couples des suggestions qui leur permettent de créer une relation de confiance, d'intimité, un engagement loyal dans une atmosphère de sollicitude et d'ouverture réciproque authentiques. Nous avions discuté des relations sexuelles extérieures au couple comme d'une option possible mais qui, dans notre idée, ne faisait absolument pas partie intégrante de notre modèle de "mariage open". Nous envisagions la fidélité en tant que loyauté (dans un sens plus large) qui s'établirait entre les deux conjoints pour favoriser une meilleure entente et leur croissance personnelle, au lieu de la considérer comme l'expression d'un droit de propriété, apanage du mâle, ou d'une exclusivité sexuelle totale. Nous disions que certains couples qui auraient su établir entre eux cette confiance mutuelle,

218

cette communication aisée et libre, et qui ressentiraient cette primauté du conjoint dans leur coeur, *pourraient,* en tant qu'individus, nouer une relation supplémentaire avec une autre personne, incluant éventuellement des rapports sexuels, si ceux-ci étaient connus, admis ouvertement et franchement par l'époux ou l'épouse.

Nous présentions cette éventualité comme une possibilité théorique mais en appelant l'attention sur la nécessité de respecter leurs responsabilités vis à vis de leur couple, la loyauté de leur engagement et leur amour. Nous pensions qu'une véritable et solide union conjugale, telle que nous l'avions décrite tout au long de notre étude, qui donne à chacun des partenaires un équilibre émotionnel où il se sent en sécurité, peut permettre d'affronter une relation sexuelle hors mariage. Forts de nos recherches, nous estimions aussi qu'une discussion franche des désirs et des fantasmes pouvait non seulement désamorcer certains périls et diminuer les jalousies mais également éviter le danger capital d'une tricherie qui abîmerait la qualité de la relation conjugale. Nous n'avons pas étudié les motivations, la logistique, les catastrophes, les bienfaits ou les conséquences émotionnelles d'expérimentations sexuelles dans un autre contexte ou au sein d'autres relations hors-mariage.

Aussi fûmes-nous fort surpris de voir que l'expression "mariage open" devenait le qualificatif non de la relation d'égalité que nous préconisions mais de toute une variété d'expériences qui allaient du mariage tout à fait libre sexuellement à mille autres fantaisies. Certains lecteurs l'ont compris tel que nous l'entendions. Pour d'autres ce fut le contraire du mariage; pour la majorité, ils y trouvèrent ce qu'ils désiraient y trouver. Tel un test de Rorschach, notre livre renvoyait le lecteur à ses conceptions. Pour ne pas parler de ceux qui, ne l'ayant pas lu, se sont figuré qu'ils savaient fort bien de quoi il en retournait. On y vit souvent une permissivité sexuelle sans limites et ce devint une étiquette commode à coller sur n'importe quelle relation de je m'en fichisme et d'indifférence ou bien une justification rationnelle des libertés sexuelles que les gens s'accordaient depuis longtemps ou auraient voulu s'accorder. Pourtant il y eut des couples qui comprirent le sens de notre entreprise et qui crurent à la possibilité d'une liberté et d'une non-possessivité au sein de l'engagement conjugal. Mais ces couples-là n'avaient pas besoin de justifications ou de guide-ânes. Ils avaient déjà fait eux-mêmes l'expérience du "mariage open".

Pour certains cette tentative de relations hors-mariage n'était qu'un dernier effort pour sauver ce qui apparaissait comme un mariage déjà mortellement atteint. N'ayant pu trouver d'autre point d'accord, ils optèrent pour cette dernière chance mais comment cela pouvait-il réussir puisqu'ils avaient de si graves problèmes entre époux? Pour d'autres ce fut le désir d'entrer en compétition avec les champions de la libération sexuelle. Au lieu de prêter l'oreille à leurs intuitions personnelles, ils voulurent suivre une mode et ce fut un échec. Ils avaient "ouvert" leur mariage dans la direction qu'ils étaient le moins capables de suivre avec avantage.

Des époux harmonieusement unis voulurent par principe, éprouver ce que signifiait cette fameuse liberté sexuelle; ils en découvrirent les périlleux champs de mine émotionnels, riches à la fois en douleurs et en découvertes. Pour eux il y eut croissance bénéfiques. Souvent les transformations intérieures s'accompagnent de souffrances; en ce domaine qui touche de si près à notre sécurité de base, les expériences sont particulièrement douloureuses. Comme un homme nous le disait: "Nous nous cachions derrière cette façade de libération sexuelle parce que nous avions peur d'affronter les graves problèmes qui rongeaient de l'intérieur notre mariage. Pour nous cette expérience pourtant si pénible fut une révélation. Elle nous mit en face de nos véritables difficultés et nous fit comprendre à quel point nous tenions l'un à l'autre."

Il y en eut beaucoup qui revinrent à la fidélité sexuelle intégrale pour arriver à bout de leurs vrais problèmes, tout en se mettant d'accord sur ce point; les portes restaient ouvertes; simplement ils n'avaient plus envie de les franchir. Et ils se sont sentis moins ligotés et plus joyeux d'avoir choisi librement cette fidélité sexuelle.

Toutes ces expériences de relations libres dans le domaine sexuel, qu'elles fussent tentées ou non, au nom du "mariage open", on conduit à une réévaluation et à une redéfinition d'éléments d'une importance capitale pour les mariages en question. En dépit de la difficulté qu'on éprouve à comprendre son véritable sens et à le vivre, le "Mariage open" dans son acception d'ouverture aux relations sexuelles extra-conjugales demeure une option possible, à la condition que ce mariage soit également "ouvert" dans tous les autres domaines de la vie à deux; et même dans ce contexte, je pense que c'est un choix délicat. Nous n'avons d'ailleurs jamais laissé entendre qu'il était à la portée de tous et je maintiens mes réserves. Pour la plupart des couples, la fidélité sexuelle absolue est encore une des bases fondamentales du mariage et un symbole de la loyauté qui doit présider à tous les actes de la vie conjugale.

violentes que s'il s'agissait d'une liaison clandestine que l'on viendrait de découvrir.

Evidemment les réactions aux infidélités clandestines ou à celles répondant à un pacte de non exclusivité sexuelle conclu dès le départ entre les époux varient selon les personnes. Certaines d'entre elles, pour de multiples raisons, sont capables de tolérer ou d'accepter les aventures ou liaisons extra-maritales du conjoint; quelques couples s'arrangent de permutations entre eux sans difficulté, mais il s'agit-là d'une infime minorité. Au cours de nos enquêtes, George et moi, en avons trouvé très peu qui adoptent ce modus vivendi pendant longtemps. Les différences* entre les réactions des uns et des autres sont dues aux tempéraments ou à la qualité de l'union entre les époux mais, pour la plupart des gens, l'infidélité du partenaire provoque dans le tréfonds de l'être des perturbations intenses. La certitude que l'autre vous sera fidèle semble encore un point fondamental de la vie conjugale et inversement l'infidélité crée une situation extrêmement menaçante. Certains d'entre eux, conscients

---

* A propos des différences de réactions: Il semble qu'il y ait chez les gens qui tentent de vivre ce genre de mariage "sexuellement open" certaines caractéristiques de base dans le domaine caractérologique. Le Dr Jacquelyn Knapp a trouvé, par exemple, sur un échantillon de seize couples, qu'il y avait trois catégories: les types Intuitions-extravertis, Intuition-introvertis et les Sentiment-introvertis. Elle constate: "Alors que le nombre des types Intuition est estimé à 25% de l'ensemble de la population, dans l'échantillon étudié, il se monte à 88%. Si les recherches ultérieures permettent de confirmer l'existence de pareilles caractéristiques caractérologiques, avec un taux aussi élevé et dans un échantillonnage plus vaste, certaines personnes de ce type pourraient se sentir encouragées à essayer de vivre ces relations complexes qui existent au sein des mariages "sexuellement ouverts". Voir "Sexually Open Marriage and Relationships: Issues and Prospects" par Jacquelyn J. Knapp and Robert N. Whitehurst dans Marriage and Alternatives: Exploring Initmate relationships (Glenview, III.Scott, Foresman and Co 1977) pp. 147 - 160.

que cela peut toujours arriver, disent: "Je sais que c'est possible mais je ne veux pas le savoir, je ne veux pas qu'on me le dise." Bien des individus, pour des raisons qui leur sont personnelles, ne sont pas préparés à affronter la révélation de l'infidélité de leur partenaire ni à avouer la leur ni à s'en accommoder.

Martin fait partie des gens plus philosophes. Puisque Suzanne travaille tard dans la soirée, qu'elle a souvent des dîners en ville ou des réceptions d'ordre professionnel, il ne veut pas en faire le centre de ses préoccupations. Il nous dit: "J'ai des copains qui me demandent: 'tu n'es pas inquiet à l'idée que Suzanne puisse te tromper, avec tous ces hommes qui tourniquent autour d'elle dans son milieu de travail?' Je leur réponds toujours la même chose: Je ne vais pas passer mon temps à me ronger les sangs; ça fait partie de notre vie; si Suzanne a une liaison, qu'on ne vienne pas me le dire; c'est un risque mais il y a le même de mon côté, alors... Même si elle restait à la maison sans aller travailler, cela pourrait aussi arriver. Je ne veux pas me faire du souci pour ça. Je trouve qu'entre mari et femme, il faut être sûr que l'autre vous aime assez pour ne pas vouloir vous faire de la peine."

Avec le bouleversement des moeurs, il s'est produit tout de même un certain assouplissement* dans l'exigence

* Cet assouplissement n'est pas aussi notable qu'on pourrait le croire. Dans un sondage national d'opinion daté de 1973, sur une population-témoin de 1,491 adultes, 70% disaient que les relations extra maritales étaient toujours coupables. Un pourcentage additionnel de 15% disaient qu'elles étaient presque toujours coupables. Cependant le fait que les 15% restants les jugeaient "coupables seulement en certains cas" ou "pas coupables du tout" est, d'après l'auteur du rapport, un important changement par rapport à la norme classique, même si la proportion numérique demeure faible. Voir ces données et analyses dans l'exposé de David L. Weis: "An Analysis of Research Utilizing N.O.R.C. Data." fait devant le Annual Convention of the National Council on Family Relations, New York, Oct. 21, 1976.

d'une fidélité absolue tout au long de la vie conjugale. Un incident de parcours isolé sera aisément pardonné dans de nombreux ménages à l'heure actuelle - comme ce le fut probablement dans le passé.- Une femme mariée depuis de longues années à un homme obligé par sa profession à de nombreux déplacements nous dit: "Nous avons connu à la fois l'enfer et le paradis au cours des années passées et notre mariage fait partie des mariages réussis. Je l'aime, il m'aime, mais je ne m'attends pas à une perfection idéale. Une fois loin de moi, il fait ce qu'il veut, je le sais bien. Je n'essaie pas de faire pression sur lui, je me borne à lui recommander: 'Tâche de ne pas rapporter de maladies exotiques'".

Dans son cas comme dans bien d'autres, ce qui compte c'est la fidélité dans le sens large du terme, la loyauté pour l'ensemble des relations, et l'unité du couple. Le sexe n'est après tout qu'un des aspects de la fidélité. Ce n'est pas l'acte physique considéré en lui même qui nous peine; en fait nous souffrons parce que notre sentiment de sécurité émotionnelle est atteint et parce que nous avons perdu la première place dans le coeur de l'autre ou du moins le croyons-nous.

Certes les frustrations qui nous affectent dans d'autres domaines de notre vie ont leur influence sur notre vie sexuelle et la façon dont nous envisageons la fidélité. On ne peut isoler la fidélité sexuelle du contexte général de notre existence. Comme le dit le Dr Seidenberg*: "Peu d'entre nous sont doués de 'systèmes nerveux' leur permettant de résister à une liberté sexuelle totale de leur partenaire. Cependant il serait plus astucieux de nous soucier davantage de la fidélité que nous montrons dans d'autres sphères de notre existence personnelle; ainsi portons notre attention sur notre *fidélité* dans l'activité professionnelle,

---

* Citation du Dr Robert Seidenberg: op. cit. pp 329 - 330.

dans la conduite de nos affaires personnelles et dans celle des affaires publiques. En bref, pour mieux expliciter ma pensée, il s'agit d'être fidéle à sa véritable nature, à ce qu'on est censé être et à ce qu'on est censé accomplir. Cet écrivain, qui souffre d'une obsession morbide relative à l'infidélité de sa femme, comprend tout à coup que c'est une projection de compensation provoquée par un sentiment de désagrégation de sa propre personnalité; il doute de sa valeur réelle dans d'autres domaines que dans celui des relations sexuelles.

Il faut savoir mettre la fidélité sexuelle à sa juste place; ce n'est pas le dernier mot de la vertu; ce n'est pas non plus le critère absolu pour juger de la valeur morale d'un être. La fidélité témoignée à l'égard d'un conjoint, d'un ami ou d'un client, inclut une sincère sollicitude vis à vis de son sort et le respect de ses droits. Il peut arriver que l'on soit sexuellement fidèle à son partenaire tout en le trompant de mille autres façons plus subtiles et bien plus vitales."

Une jeune femme confirme ce jugement en nous déclarant: "J'estime quant à moi que je serais infidèle à mon époux si j'en disais pis que pendre à un homme qui me plairait ou si je le démolissais aux yeux de ses amis. Je sais qu'il n'agirait jamais ainsi envers moi; c'est le genre de loyauté auquel j'attache le plus d'importance."

Que nous soyons conscients ou non de ces nuances subtiles de fidélité et de loyauté, il n'en est pas moins vrai que la plupart des gens tiennent à cet engagement de fidélité dans le mariage. Peu de personnes parviennent à établir dans leur vie conjugale ces rapports de confiance, de sécurité, de complicité et de loyauté, si nécessaires à leur épanouissement commun sans avoir recours à plusieurs sortes de barrière y-compris le 'terrain réservé' de la sexualité. La fidélité sexuelle est pour beaucoup un des éléments constituants d'une plus vaste loyauté que, d'un commun accord, ils ont choisie comme base de leur mariage et qui durera aussi longtemps que lui.

Comme c'est le cas pour beaucoup des biens auxquels nous aspirons dans la vie, nous en avons une vision idéalisée. De ce fait, elle cadre souvent très mal avec les réalités de l'existence. Nombreux sont les obstacles qui empêchent de se montrer fidèle: ennui, curiosité, frustration, anxiété, hypocricie, soif de renouveau, désir de retrouver une juste estime de sa valeur, manque d'intimité partagée, désir d'avoir plus et en outre cette aspiration à la liberté sexuelle qui est le fruit de la révolution sexuelle etc. etc. La liste n'est pas limitative.

Aujourd'hui nous pensons plus à la liberté en ce domaine et plus au sexe en général. Même si nous n'avons pas l'intention d'avoir des aventures hors mariage, que ce nous soit permis ou défendu, nous envisageons la possibilité d'être attiré sentimentalement ou physiquement par quelqu'un d'autre que notre partenaire.

Maryanne, qui vient de se marier, cite ce cas classique d'attirance et comment elle s'en tire: "Il y a dans mon bureau un gars fantastiquement séduisant; si je n'étais pas mariée, c'est tout à fait le genre de type avec qui j'aimerais avoir une aventure; je sais qu'il en pense autant de son côté. Je dois avouer qu'il y a eu un moment où la tentation était rudement forte et puis je me suis ressaisie. Si je succombe, je sens que je perdrais une sorte d'innocence; une fois que c'est fait, il se passe quelque chose d'irréparable, un peu comme si on a grignoté un bout du gâteau que votre mère voulait servir aux invités; il n'aura plus le même aspect et vous, vous aurez un sentiment de malaise. J'ai réalisé que j'étais destinée à attirer beaucoup d'hommes et à me sentir attirée par eux mais d'un autre côté je suis très attirée par mon mari et très amoureuse de lui. On n'a pas besoin de satisfaire un désir uniquement sexuel. Ma relation avec mon mari est sexuelle, bien sûr, mais il entre dedans beaucoup plus: affection, amour."

Maryanne a su prendre sa décision, d'autres couples, comme Sara et Dennis, qui nous ont entretenus d'une situation analogue, trouvent qu'ils ne savent pas toujours très bien qu'en penser. "Je sais qu'entre gens mariés on compte sur la fidélité, dit Sara, mais nous discutons beaucoup sur ce sujet, peut-être trop. Avant de nous marier, il disait toujours; 'je veux que tu te sentes libre d'agir à ta guise'. Maintenant nous continuons à en parler. Mais j'ai compris que c'était des paroles en l'air et vous savez comment je m'en suis aperçu? Je lui ai raconté qu'une de nos meilleures amies, professeur dans une école secondaire et mariée depuis un an, avait eu une aventure avec un de ses étudiants; vous savez quelle a été sa réaction: 'mais elle est mariée!' Je n'en croyais pas mes oreilles. Il n'a pas dit: 'Mon Dieu! elle a couché avec un de ses élèves!' Il a dit: 'Comment a-t-elle pu coucher avec quelqu'un d'autre que son mari?' Vous voyez sa mentalité. J'ai donc découvert tout à fait par hasard ce qu'il pensait réellement de la fidélité, malgré toutes ses grandes déclarations sur ma liberté quand il inventait des situations où je pourrais être tentée."

En fait Sara et Dennis payaient leur tribut - en paroles - aux conceptions nouvelles d'entière libération de tous les tabous, sans avoir vraiment réfléchi à ce que pouvaient être leurs réactions de base. D'autres couples, tels Chuck et Amy, discutent à l'avance de cette éventualité. Leur mariage est fondé sur des bases solides, réalistes; ils s'aiment et ne sont pas encombrés ni d'idées d'un autre âge ni d'idéaux neufs et compliqués.

Chuck: "Nous avons atteint le seuil où nous pourrions affronter le fait d'avoir des rapports sexuels avec d'autres. Nous n'en ressentons pas le besoin mais intellectuellement je me suis toujours dit qu'il n'y avait rien de mal à cela. Ce qui n'empêche que sur un plan sentimental, ce me serait sûrement très douloureux. Je suis certainement plus jaloux et possessif au fond que je ne me l'imagine. Je sais que j'aurais énormément de peine si Amy revenait à la maison un soir en me disant qu'elle a couché avec Un Tel ou Un Tel. Elle l'a fait une fois quand nous vivions ensemble."

Amy: "Et je me suis sentie terriblement coupable, j'en avais d'affreux remords. Mais maintenant nous sommes mariés."

Chuck: "Si cela lui arrivait maintenant, je ne crois pas que je voudrais avoir des détails, à dire vrai. Mais je voudrais tout de même être au courant. Je pense que, s'il y avait quelqu'un dans sa vie, elle me le dirait franchement parce qu'elle en aurait des remords mais le fait qu'elle reviendrait au logis me rassurerait. Cela me donnerait un coup sur le moment et me ferait de la peine mais je crois que je finirais par m'y faire. Je crois que du côté d'Amy cela se passerait de la même façon."

Amy: "Ah non, par exemple! J'ai toujours dit que la vie me serait dure après mon veuvage, c'est à dire après que je l'aurais tué. S'il va avec une autre femme, je le tue. Je peux bien me dire sur un plan intellectuel que cela n'est pas mal, que cela ne signifie rien etc. C'est comme si on allait dîner en ville avec quelqu'un d'autre, ce à quoi évidemment je ne trouve rien à redire. Il peut y aller, cela ne m'empêchera pas de mon côté d'avoir bon appétit mais c'est prendre un risque."

Chuck: "Ma foi oui. Et si on est sentimentalement pris par l'autre?"

Amy: "C'est là que cela se complique. C'est vraiment trop risqué. Nous ne sentons pas le besoin de relations sexuelles en dehors de notre couple pour le moment. Peut-être plus tard, cela pourrait m'apporter quelque chose mais je n'en suis pas si sûre que cela."

227

Chuck: "Je pense que forcément cela changerait notre façon d'être ensemble; nous serions moins proches l'un de l'autre."

Amy: "Pour l'instant je sens que la fidélité est très importante pour nous."

Chuck: "Je ne parle pas seulement de fidélité dans le domaine sexuel mais en général. Si on prend le mot fidélité dans le sens le plus large possible, ça fait partie de tout ce qui nous unit."

En discutant ainsi des possibilités d'union physique en dehors du mariage, Chuck et Amy ont découvert qu'il faut les considérer non pas seulement d'un point de vue intellectuel mais sous l'angle sentimental. Et cette prise de conscience a son importance. Ils semblent hésitants mais ils se donnent la peine d'explorer vraiment leurs réactions émotionnelles et de peser les conséquences qu'un tel choix entraînerait dans leur union. Ils réaffirment que pour le moment la fidélité sexuelle est une composante essentielle de leur mariage.

On a souvent affirmé qu'une liaison ou une seule aventure extra-maritale ou un simple désir serait le signe que quelque chose *cloche* dans le mariage des personnes concernées. C'est voir les choses par le petit bout de la lorgnette; en effet fort complexes sont les causes d'infidélités ainsi que le rôle du sexe dans nos vies. Que veut dire quelque chose qui "cloche" dans le mariage? Il peut exister un malaise aujourd'hui qui demain sera dissipé et, entre les deux, va se glisser un petit acte d'infidélité. La plupart des unions connaissent un jour ou l'autre des difficultés et les aventures extra-maritales ne sont qu'un moyen parmi d'autres d'oublier détresse et problèmes. Il semble plausible que de brusques accès d'infidélité soient plus souvent provoqués par des problèmes personnels à un des époux plutôt qu'à une complication conjugale. Il est difficile, néanmoins pour un mari ou pour une femme de voir les choses avec un si souverain détachement La douleur intime obscurcit le jugement impartial et, d'ailleurs, à supposer qu'on comprenne les raisons d'une tromperie, elle ne vous inflige pas moins une cruelle blessure qu'on a de la peine à oublier. Un manquement occasionnel à la fidélité conjugale peut être provoqué par des causes fort variées: malaise passager, crise de la maturité, problèmes professionnels, personnalités foncièrement différentes, intensité également différente de désirs sexuels, vengeance, tempéraments discordants, troubles divers. Il peut y avoir également des circonstances qui n'ont rien à voir avec des difficultés ou des coups durs; par exemple: curiosité, attirance physique, séduction. Que faut-il faire quand cela arrive à l'un ou à l'autre? Il n'y a pas de réponse toute faite, de règle à suivre; nous devons chacun prendre nos responsabilités en ce qui concerne nos actes, notre décision de dire ou ne pas dire, ou pour évaluer l'importance que l'événement a dans notre vie conjugale particulière.

Dans d'autres sociétés, l'on a toujours témoigné de plus de largeur d'esprit à l'égard des manquements à la fidélité entre époux; ce qui n'empêchait pas qu'on estimât la famille et que celle-ci demeurât solidement établie. Je ne plaide pas pour que nous adoptions leurs règles de comportement sexuel (ni leur attitude chauvine à l'égard des femmes) mais je pense vraiment que nous aurions intérêt à admettre que beaucoup de nos problèmes conjugaux découlent de l'attitude américaine vis à vis du sexe: d'un côté on ne voit que l'aspect sale; de l'autre on le met sur un piedestal, on l'idéalise, on le divinise au lieu de le considérer simplement comme un aspect naturel de la vie, un plaisir bien terrestre, une joie des sens. Cette attitude commence juste à changer. Dans notre société nous avons beaucoup d'êtres sexuellement insatisfaits, non seulement à cause de nos comportements "vertueux" à l'égard du sexe (en dépit de la révolution) mais à cause de notre publicité qui met en avant les jeunes, les beaux garçons et les belles filles, ceux et celles dont la séduction n'est qu'en surface.

Ne sont attirants sexuellement, selon ces normes, que les seins fermes, les hanches minces, les cheveux blonds; vingt deux ans étant l'âge où l'on est censé être le plus désirable.

Pour les hommes il faut avoir une musculature solide, le ventre plat, des blue jeans bien collants, une moustache selon l'époque. Personne ne songe à mentionner la profonde attirance sexuelle que peuvent encore ressentir l'un vis à vis de l'autre des conjoints unis depuis de longues années. Les agents de publicité ne nous poussent pas à reconnaître ce qu'est la véritable sexualité, cette identité sexuelle intégrale que l'on devine à voir la façon dont les gens parlent, se meuvent, touchent, goûtent, sentent, quels que soient leur poids, leur âge, la couleur de leurs cheveux.

Hélas! Comment veut-on que les hommes et femmes qui ne correspondent pas à ces modèles flatteurs soient à l'aise dans leur peau et contents de ce qu'ils sont? Mais oui, si vous ne vous calquez pas sur ces merveilles des merveilles dont on voit les images sur tous les murs, à la T.V. etc., alors vous n'êtes plus dans la course.

Nos égos sexuels sont *délicats* et doivent être protégés soigneusement. Personne n'est parfait, aucun mariage n'est idéal; peu d'entre nous ont l'étoffe nécessaire pour être des saints; nous n'avons pas tous des partenaires qui nous rendent facile la fidélité conjugale. Nous avons beau souscrire avec enthousiasme à la nécessité morale et pratique de la fidélité sexuelle, il faut avoir les pieds sur la terre et reconnaître que tous les mariages ne sont pas paradisiaques; que tous les conjoints n'ont pas une nature idéale; qu'on n'a pas toujours une juste appréciation de soi-même et de l'autre; qu'on n'est pas toujours préparé à affronter les difficultés, à nouer des relations franches, pleines d'amour et de sollicitude. Et quand la vie nous bouscule un bon coup, nous ne savons pas tous garder notre auréole bien d'aplomb sur notre crâne.

16

Pour que dure le mariage

Faire durer notre mariage est une entreprise beaucoup plus difficile qu'auparavant. Quand je sors de mes entretiens relatifs au mariage, je suis tantôt réconfortée tantôt abattue. Certaines unions seront visiblement de courte durée; pour d'autres on ne peut le deviner. Bien sûr il en est qui sont réussies, il y a des couples heureux qui savent trouver un nouvel équilibre, puiser dans une chaude intimité la force d'affronter les difficultés de l'existence.

Chaque couple n'en demeure pas moins soumis à des pressions de tout ordre: intérieures (problèmes personnels, aspirations à harmoniser avec celles du conjoint) et extérieures (problèmes de vie professionnelle et d'avenir, choix du chemin etc.) En plus de cette recherche axée sur l'épanouissement du moi et qui a pris tant d'importance à notre époque, il y a toujours une quête du plus, un 'plus' qui peut avoir bien des sens, argent, succès, paix, sagesse, recherche du pourquoi de la vie. Ce quelque chose en plus peut peser d'un grand poids sur la vie conjugale. Nous avons vu monter une marée de nouveaux besoins, de nouveaux désirs. Les temps ont changé; ce n'est plus seulement au sein de la vie conjugale mais dans chaque domaine de notre vie que nous exigeons plus de satisfactions. Aujourd'hui les conjoints sont terriblement exigeants l'un envers l'autre. En plus des obligations qui ont toujours existé dans la vie conjugale: responsabilités réciproques, efforts d'adaptation, de conciliation, nous demandons à l'autre de changer plus rapidement de comportement et de mentalité ou de s'incliner devant nos mutations personnelles.

Au milieu de tous ces bouleversements qui interviennent dans la société ainsi que dans la personnalité de chaque individu, le mariage a-t-il des chances de durer? Il faut reconnaître que ce besoin constant d'évolution et de progrès pour atteindre à une plus grande dose de bonheur collectif ou personnel rend la tâche particulièrement ardue. Nous voulons tout et tout de suite: le plaisir immédiat, l'intimité du jour au lendemain, la communication parfaite du premier coup etc. etc. Je pense que cette attitude montre que nous avons perdu le sens d'une durée indispensable, d'un rythme de croissance qui doit respecter celui de la nature, d'un flux régulier, continu. Comme des plantes, nous avons besoin de nos racines, de saisons différentes, d'un temps de germination et de croissance. Notre vie ensemble, elle aussi, exige de la patience et du temps pour se dévelpper et il faut accepter qu'elle soit soumise de temps à autre aux intempéries. Ne pouvons-nous prendre conscience de ces réalités? Le taux de plus en plus élevé de divorces semble indiquer que nous ne savons plus ce qu'est la patience; pourtant le désir de stabilité et de sécurité, le besoin d'une présence affective constante sur laquelle on veut prendre appui, semblent enracinés dans tous les coeurs humains et se lisent un filigrane en toute existence. Le mariage peut vous garantir tout cela et plus encore. Serait-ce que nous renonçons trop vite à ce bonheur quand il ne nous est pas donné d'emblée.

Anne nous confie: "Le mariage c'est un équilibre très délicat à trouver, (elle a réussi le sien); de temps en temps cela penche trop d'un côté ou d'un autre et l'on se sent mal à l'aise. C'est comme dans le travail où l'on a envie par moments de tout envoyer promener alors qu'à certains jours tout marche comme sur des roulettes et qu'on se sent en super forme. Le mariage, c'est exactement la même chose. Parfois on a le désir fou de quelque chose, de faire la fête par exemple et puis le lendemain on n'est plus du tout d'humeur à rire. Les gens ne veulent pas se rendre compte qu'il en est de même dans une vie conjugale. Ils s'imaginent que l'atmosphère devrait être toujours la même avec des rapports bien équilibrés dans la vie quotidienne comme s'il s'agissait d'un régime alimentaire. Il y a des jours où l'on a envie d'un bon dessert et des jours où l'on se contente de pommes de terre à l'eau."

J'ai pensé à mes parents, à la stabilité et à la longévité de leur union; j'ai pensé à la mienne, à tous les mariages et remariages qu'il m'a été donné de voir; j'ai réfléchi aussi au mariage de mon fils qui n'a pas marché comme beaucoup d'autres parmi ceux de mes amis. Et mon autre fils Brian? Comment cela se passera-t-il pour lui? Auront-ils tous la chance que nous avons eue, George et moi, de vivre les différentes saisons de la vie aux côtés du même compagnon ou de la même compagne? Les couples comme celui de mes parents, durables et solides, ne seront-ils plus qu'une exception que l'on se montrera du doigt?

Les crises de croissance à l'intérieur de la vie conjugale ne sont pourtant pas plus pénibles à supporter que l'échec qui met fin à la vie d'un couple. Nous traversons tous des périodes de douloureuse confuison dans la vie; ne serait-ce que pour passer d'une étape à une autre; et ceci est aussi vrai pour les célibataires que pour les gens mariés. Ce 'plus' que nous désirons, nous ne sommes pas assurés de l'obtenir; ce n'est pas si facile que cela dans la vie.Dans nos rapports avec l'autre, pour avoir plus, il faut accepter de donner plus. Nos appétits ont été aiguisés par mille sollicitations qui semblent aux antipodes des conditions nécessaires à la longévité d'un mariage; on peut même dire qu'elles le menacent sérieusement jusque dans ses bases fondamentales. La devise "tout beau tout nouveau" va à l'encontre de ce qu'est le mariage; il en va de même des idéaux nouveaux: modes culturelles éminemment changeantes, mobilité dans tous les domaines, y compris celui de l'éthique.

Pourtant, même en tenant compte de tous ces obstacles, je demeure résolument optimiste en ce qui concerne l'avenir du mariage. Nous vivons dans une époque de transition où nous expérimentons de nouvelles formules, interrogeons les modes de vie d'autrefois et forgeons de nouvelles espèces d'engagements. A la longue, quand sera franchie cette ère de bouleversements, je suis convaincue que nous découvrirons que le mariage peut cheminer de pair avec les aspirations neuves. C'est une institution suffisamment malléable tout en étant solide; elle peut donc s'adapter à de nouveaux temps, à de nouvelles moeurs. Guidés par plus de réalisme, des époux contemporains l'apprécient et, forts de leur amour, ils travaillent à transformer le mariage, à l'aménager pour qu'il réponde mieux aux exigences d'aujourd'hui et de demain, et ce malgré les divorces et les désillusions; ils savent bien que Rome ne s'est pas bâtie en un jour. Ils savent également apprécier les joies qu'on y puise et qu'on y a puisées de tout temps. Je crois qu'avec les années, si grand que soit le besoin des hommes d'avoir plus et d'être plus, il ne sera plus incompatible avec les profondes satisfactions et la continuité que nous garantit le mariage.

Ce qui n'empêche pas de s'interroger sur ce point: est-il vraiment raisonnable d'envisager une union conjugale qui puisse durer soixante et soixante dix ans? peut-on se contenter de vivre à côté de la même personne tout ce temps que nous octroie la prolongation de la vie, franchissant toutes les étapes de la vie adulte et de la vieillesse, au milieu des mutations sociales qui ébranlent le siècle?

Bien qu'au seuil du mariage nous pensions que nous nous unissons "pour toujours", cette perspective n'en demeure pas moins théorique et idéalisée. Ne serait-il pas plus logique de penser qu'au cours d'une vie on puisse nouer plusieurs sortes de relations dont le mariage ne serait qu'une d'entre elles? Ne devrions-nous pas nous mettre en quête de types de relations correspondant aux différentes étapes avec leurs besoins spécifiques? Au fur et à mesure que l'on accepte une plus grande variété de modes de vie, la conception du mariage comme étant la meilleure ou la seule façon de vivre se modifie.

Pourquoi le mariage conviendrait-il à tout le monde? Bien que je sois personnellement convaincue que la vie conjugale durable est non seulement possible mais idéale pour fonder une relation d'intimité sans cesse approfondie (où l'on apprend à découvrir l'autre et à mieux se connaître soi-même) et qu'elle constitue donc un lieu de progrès humain, j'ai conscience aussi des nouvelles réalités auxquelles nous avons à faire face et de l'attrait qu'exercent tant d'options récemment révélées.

A l'heure actuelle nous sommes en présence d'une multiplicité de relations possibles et en même temps d'une grande variété de styles de vie à l'intérieur du mariage. Toutes sortes de considérations entrent en ligne de compte pour juger de leur longévité. Certaines personnes se marient, élèvent une famille, divorcent, se remarient et ont à nouveau des enfants. Certains vivent ensemble pendant quarante ans et brusquement décident de mener à nouveau une existence de célibataire. Des jeunes cohabitent pendant des années, se séparent, vivent seuls puis choisissent un nouveau partenaire pour passer avec lui ou elle le reste de leur vie. Il y a une variété inimaginable d'arrangements possibles, de combinaisons, de permutations, au point qu'un ordinateur semblerait nécessaire pour les trier. Peut-être tout serait plus aisé si nous pouvions savoir comment établir les meilleures relations possibles tant que cela peut fonctionner quitte à rompre avec le minimum de douleur quand cela devient nécessaire.

Rappelons-nous cependant que nous manions des vies humaines et non des cartes perforées bonnes à nourrir un ordinateur. Les choses ne sont pas aussi aisées quand les sentiments humains entrent en jeu. Nous n'avons pas appris le secret qui nous permettrait de nouer et de dénouer des relations sérieuses, sans en ressentir de chagrin, sans nous sentir en quelque sorte mutilés. Je pense que jamais nous ne le saurons ce secret car le besoin d'une relation durable, d'une continuité dans les liens que nous tissons au cours de notre existence, demeure inébranlable en dépit des bouleversements de notre époque. Il en sera, à mon avis, toujours ainsi.

A côté des gens qui se marient pour satisfaire ce besoin d'amour et de stabilité affective, il y en a d'autres qui font ce choix pour toutes sortes d'autres raisons; pour posséder un statut social; pour obéir à des pressions familiales; parce que cela leur semble amusant; à cause de la réception, de la cérémonie, des cadeaux ou pour faire comme les amis. Quand on a de pareilles motivations, on fait souvent un mauvais choix. Si on se marie jeune et surtout parce que l'autre vous attire physiquement, on a peu de chance de fonder le mariage sur une base solide. Comme une femme nous le disait: "J'ai épousé John pour ses potentialités, non pour ce qu'il était à ce moment-là, et il en a fallu du temps pour qu'il les réalise!"

Il y a des mariages qui ne durent pas parce qu'ils ne résistent pas à l'usure du temps et qu'on ne peut leur redonner vie. Lorsque deux époux conviennent implicitement d'unir leurs efforts pour atteindre un certain objectif, celui-ci étant atteint, il arrive que le mariage soit désormais privé de sens; mieux vaut alors continuer le chemin séparément. S'ils viennent à prendre conscience de ce contrat qu'ils avaient établi sans le dire ouvertement, en ce cas seulement ils peuvent le réviser et repartir d'un commun accord vers une nouvelle étape. Le seuil de tolérance aux stress, l'adaptabilité, la patience, la compréhension, tout cela varie selon les individus et progresse selon un rythme propre à chaque être. Quand l'un des partenaires change, progresse plus rapidement que l'autre, les différences s'accroissent et il devient difficile sinon impossible de trouver assez de points communs pour que l'union conserve sa raison d'être.

Le divorce permet d'échapper à d'intolérables tensions; il peut nous ouvrir de nouvelles possibilités de croissance et nous rendre plus sages, plus avertis. En fait il est devenu si fréquent qu'il prend presque l'allure d'une nécessaire initiation à des relations adultes. En nous mariant une seconde fois, nous bénéficions d'une seconde chance, d'une occasion favorable pour corriger certaines erreurs dont nous nous serions rendus coupables la première fois; pour choisir un partenaire qui nous convienne mieux; pour discerner plus clairement ce que nous voulons faire de notre vie. Mais cela ne nous garantit pas pour autant que les seconds mariages durent plus longtemps que les premiers; on peut même avancer qu'il y a plus de divorces dans les secondes noces que dans les premières.

D'ailleurs aucun mariage n'a de durée garantie. Même le fait de vivre ensemble avant n'assure pas qu'on s'entendra durablement ni qu'on sera heureux ensemble. Comment expliquer que les mariages arrangés ou ceux qui se sont contractés sans que les époux aient eu le temps de se connaître soient solides et heureux? La seule chose dont on puisse être sûr, - aujourd'hui plus que jamais - c'est que tout dépend des deux partenaires, des deux personnalités qui, par choix et engagement mutuel, vont nouer une relation pour atteindre un certain objectif en sachant qu'ils édifient leur union sur des bases solides qui pourront affronter le passage du temps.

Mon amie Kate prétend qu'on ne devrait jamais se marier avant cinquante ans. Elle en a trente deux, a divorcé et élève seule son enfant, d'où une certaine amertume: "Je t'assure, ce sont les gens de cinquante ans qui sont bons pour le mariage. Ils sont à une époque de leur vie où ils peuvent dire: 'Nous avons bien profité de la vie, savouré tous les plaisirs, l'heure est venue de nous marier.' Ils ne pourront pas avoir d'enfants et ils n'auront pas l'occasion de se faire de la peine en ayant des liaisons en dehors. C'est une période de vie plus stable, ils peuvent s'installer."

Sa position peut paraître outrée, elle a pourtant une certaine valeur ainsi que les raisons qui la lui dictent: "A l'heure qu'il est je ne trouve aucun sens au mariage; c'est un mythe. Je comprends que des hommes qui ont toujours été cajolés et adorés le choisissent spontanément mais pour la femmes ce n'est plus la même chose. Et les enfants? qui s'occupe d'eux? Quand ça craque, ce sont les femmes qui en ont la charge en tout cas." Kate, comme beaucoup d'autres a une manière de voir désenchantée: "Bah! rien ne dure sur cette terre; pour ma génération, il y a des possibilités autrement plus satisfaisantes, comme par exemple avoir plusieurs bonnes liaisons."

Quand on observe le nombre croissant de célibataires et de divorcés qui vivent seuls, on en vient à se demander si les choses ne se passent pas ainsi que le souhaitait Kate. Les gens se marient plus tard de nos jours. Moi je me suis mariée jeune mais autres temps, autres moeurs. Il est vrai que des mariages précoces peuvent très bien tourner, cependant il y a bien des raisons qui militent pour qu'on attende vingt-cinq ou trente ans. Seule la vie peut nous permettre de mûrir, d'avoir l'expérience qui nous rendra capables de prendre un engagement au sérieux. Il nous faut du temps pour nous connaître plus à fond, pour développer notre perspicacité, pour venir à bout des illusions de notre imagination juvénile. En dépit de l'accélération du temps, vingt et des années ne sont pas de trop pour avoir les pieds sur terre, connaître nos tenants et nos aboutissants, savoir ce que nous voulons faire dans la vie avec les dons qui nous ont été impartis.

Un jeune homme m'a dit: "J'ai passé vingt années de mon existence sur les bancs de l'école; maintenant que je suis en possession de mon diplôme, j'ai la chance de faire ce que j'ai toujours eu envie de faire. Comprenez que le mariage soit le cadet de mes soucis pour le moment."

Un autre garçon, dans un groupe d'étudiants que j'interrogeais, m'a fait une curieuse réponse qui ressemblait à ce qu'auraient pu dire autrefois les gens qui se préoccupaient de la dot et des meubles à apporter avant de pouvoir parler mariage. Voici ses propos: "Il faut d'abord être établi, voyager, se faire une situation, avoir l'argent nécessaire. C'est indispensable pour pouvoir se marier, entretenir sa femme, être heureux ensemble. Pour l'instant c'est la période où l'on peut faire ce qu'on veut; on fonce et on le fait. On n'a aucun attachement qui puisse faire obstacle. Je ne veux pas me marier trop tôt; il vaut mieux attendre d'approcher la trentaine."

Beaucoup de femmes célibataires disent qu'elles veulent d'abord s'occuper de leurs carrières ou d'obtenir leurs diplômes avant de se marier. Ce sont là d'excellentes et judicieuses raisons pour attendre quelques années de plus. Une jeune femme, étudiante à l'université, me disait: "Je préfère attendre, je connais des tas de filles qui s'imaginent

240

qu'elles gâchent la moitié de leur vie si elles ne sont pas mariées à vingt et un ans. Mais moi, je trouve que j'ai beaucoup de temps devant moi. Il vaut mieux que j'apprenne à me débrouiller seule, à être mon propre maître, à faire ce que je choisis de faire. Je ne veux pas m'engager vis à vis de quelqu'un d'autre sans savoir qui je suis."

Cela ne veut pas dire que d'attendre plus tard pour se marier vous garantisse la réussite mais les chances de vous comprendre vous-même ainsi que votre partenaire sont bien meilleures. Quand nous sommes jeunes, les liens que nous tissons avec les autres nous donnent matière à expérience, nous permettent de comprendre nos propres aspirations et de les harmoniser avec celles du voisin. Ce temps de maturation est d'une valeur inappréciable. Quand nous nous marions trop jeunes, nous avons encore en nous la nature possessive de l'enfant; nous sommes plutôt branchés sur nous mêmes, nos goûts, nos possibilités et nous avons tendance à nous projeter dans l'autre sans en avoir conscience. Nous avons besoin d'apprendre à faire attention aux autres et de nouer de multiples relations à l'extérieur de la famille et pas simplement avec les premières personnes que nous avons pu remarquer. Si nous nous marions trop tôt, le danger n'est pas que nous choisissions mal notre partenaire mais que nous n'ayons pas encore eu le temps de forger notre personnalité.

Dans mon auditoire d'étudiants un jeune homme me raconta: "Nous étions un groupe de six garçons et nous nous entendions admirablement. Maintenant ils sont tous mariés sauf moi. Ils m'ont tous confié qu'ils regrettaient de n'avoir pas attendu deux ou trois ans avant de s'engager dans la vie conjugale. Ils se sont mariés vers vingt et un, vingt-deux ans, juste au moment où moi je me mettais à voyager dans tout le pays. D'après eux, c'est cette expérience qui leur a manqué.Donc ils auraient préféré se marier plus tard mais ils m'ont tous dit qu'ils auraient choisi les mêmes femmes."

Je fus frappée de rencontrer la même réaction à maintes reprises au cours de mes interwiews: pour les jeunes célibataires, c'est la chance de pouvoir voyager librement, tandis que pour les jeunes mariés c'est celle d'avoir du linge propre et bien repassé. Peut-être la liberté symbolisée par les voyages contraste-t-elle avec une vieille conception du mariage "qui vous enferme et vous ronge les ailes."

Une autre personne me dit: "Il y a une forte pression sociale qui s'exerce sur les jeunes; mon avis personnel est qu'on devrait se marier vers vingt-cinq ans. Se marier pour 'toujours', c'est bien joli mais c'est long; si on pense qu'on va vivre jusqu'à soixante-dix ans, cela fait quarante-cinq ans à passer avec la même personne... Ca, je ne le pourrais jamais! Non merci! Alors vous pensez bien pas question de se marier à vingt-trois ou vingt-quatre ans. A dix neuf, c'est de la pure folie. On manque de maturité pour prendre un tel engagement."

Si le mariage est, comme nous le savons, une relation fondée sur une intimité profonde et durable, s'il est à la fois difficile à édifier mais riche en bienfaits, il ne faut donc pas s'y lancer à la légère. En ce domaine, pas de coup de tête; d'autant que notre époque nous présente tout un choix d'autres modes de vie. Je pense qu'il vaut mieux attendre d'avoir un peu plus d'expérience de la vie, d'avoir fini ses études, d'avoir fait un bout de chemin seul, ce qui vous permet de mieux discerner ce qu'on est capable d'entreprendre et de mener à bien. Mais cela n'empêche pas que si l'on tarde, il y a d'autres inconvénients qu'on ne peut sans doute éviter. Avec les années on devient moins conciliant; on a moins de souplesse pour s'adapter aux façons d'être de l'autre. On devient, comme on dit "vieux garçon" (ou vieille fille!); du moins si l'on en croit la sagesse des nations.

Un père dont les fils avaient presque atteint l'âge adulte me disait récemment: "A entendre parler mes fils, je constate un grand changement de mentalité; ils n'ont pas envie de se marier ou du moins ils ne veulent pas se marier de bonne heure; ce qui compte pour eux, c'est de faire un tas d'expériences qui ne nous seraient jamais venues à l'idée autrefois. Je ne sais pas comment les choses tourneront. Pour moi je crois que c'est payant mais, quand je me rapporte à mon propre passé je me demande si ma femme et moi nous nous serions mariés au cas où nous nous serions rencontrés à un âge plus avancé. Si on attend trop, il me semble qu'il y a une sorte d'exaltation qu'on ne connaîtra jamais."

Il apparaît dans les moeurs actuelles de la société américaine que le nombre des célibataires est très importants. De récentes statistiques* nous montrent que depuis 1970 il y a 134% de plus de personnes en dessous de trente cinq ans qui restent célibataires. Il y en a beaucoup pour qui c'est un choix délibéré; c'est le style de vie qui leur semble le mieux adapté à leurs goûts. Ils ne veulent pas se marier. Il n'y aurait personne aujourd'hui pour prétendre, comme dans le passé, que le mariage est la meileure solution - ou simplement la bonne- pour tout un chacun. Pourtant il arrive parfois que les célibataires se referment trop sur eux-mêmes, deviennent égocentriques à force de vivre seuls et ne puissent plus s'adapter à autrui. Il n'en demeure pas moins que beaucoup de célibataires ont fait un choix réfléchi et qu'ils mènent une existence pleine d'intérêts, riche en joies et satisfactions de tous ordres, y

* Pour une discussion de ces chiffres obtenus lors du dernier rencensement national voir "Trend to Living Alone Brings Economic et Social Change" The New York Times (Mar. 30 1977).

compris celles que donnent des relations diverses. Même dans la vie de célibataire, il y a mille options possibles.

Comme me l'exprimait une amie: "Pourquoi irais-je renoncer à la tendresse excitante de Paul, à mes randonnées avec Bill, à l'affection protectrice et paternelle d'Al, à l'adoration romantique de Roger qui me met sur un piedestal ou aux plaisirs bien terrestres que je prends avec Jack? Ils font partie de ma vie mais je ne veux pas passer tout mon temps avec l'un, à l'exclusion de tous les autres. En tant que célibataire, j'ai le temps de me consacrer à ma carrière et j'ai tous les divertissements dont j'ai besoin à ma disposition, aux moments qui me conviennent, sans personne qui me fasse la loi."

La variété est le piment de la vie; les options actuelles ainsi que l'accent porté sur l'épanouissement personnel nous le rendent encore plus sensible. Comme dans tous les choix que l'on fait dans la vie - dans le mariage aussi - il faut renoncer à certains avantages. Je suis convaincue qu'il y a des découvertes qu'on ne peut faire et des degrés d'évolution personnelle qu'on ne peut atteindre si on n'a pas vécu un certain laps de temps aux côtés d'une autre personne. Nous vivons d'une certaine façon au sein du groupe familial pendant notre enfance et notre jeunesse et nous vivons d'une tout autre façon en tant qu'adultes dans un autre milieu. C'est en menant hors de la famille une existence autonome mais librement liée à celle d'un autre adulte que nous apprendront à élargir nos perspectives, à tempérer nos désirs et nos craintes, à accroître nos facultés de compréhension et de compassion, notre générosité et notre réceptivité.

Il se peut que la crainte du mariage nous traumatise, que son influence nous marque plus que nous n'osons l'avouer et nous fasse esquiver le risque qu'implique toute relation véritable. S'il y avait plus de gens pour prendre la défense du mariage, si l'on se souciait davantage des bienfaits qu'apporte la vie conjugale, si l'on savait combien elle peut nous faire progresser, si l'on vous apprenait à vivre en bons époux, en bons parents, plus de personnes, sans doute, auraient le courage de s'engager dans la vie conjugale.

Si nous prenons cette décision, jeunes ou moins jeunes, sachons au moins pourquoi. La durée de notre mariage dépend de plusieurs autres aspects de notre union, en plus des donnés fondamentales de base. Il faut être conscient du rythme de la vie, de ses diverses saisons, ainsi que de la façon dont ils affectent notre existence commune. Nous devons nous attendre à voir surgir de temps à autre des tensions, des conflits. C'est en surmontant les conflits et en comprenant le dynamisme des tensions que notre union s'affermit et s'approfondit. Nous apprenons sans cesse à mieux nous connaître au fil des jours et ces découvertes rendent la vie passionnante.

Nous pouvons insuffler une nouvelle jeunesse à notre couple en réintroduisant un certain romanesque, une sorte de rituel, dans le quotidien prosaïque. Il ne s'agit pas de mièvre sentimentalité ou d'une volonté de faire revivre à toute force le passé mais de comprendre mieux le rôle vital que jouent, dans nos relations conjugales, ce romanesque et ces rites. Ils redonnent vie, par des gestes symboliques, aux origines et aux étapes de notre amour. Celui-ci en sort rafraîchi, renouvelé, prêt de nouveau à affronter la réalité de tous les jours. Comme nous l'exprime Jenny: "Il faut noter les différents sens des mots: habitude, routine, rituel. L'habitude est une connotation de régularité; la routine, d'ennui; mais les rites, c'est bien différent: par exemple les premiers temps où nous sortions ensemble, entre les rendez-vous, nous avions pris l'habitude de nous téléphoner d'une certaine cabine téléphonique au coin d'une rue. Cette rue, nous avons souvent l'occasion de la prendre et chaque fois nous nous embrassons. C'est notre coin à nous, il nous est particulièrement cher et je suis sûre que même à quatre vingt dix ans, cela me fera encore cet effet-là."

"Je crois, nous dit Karen, qu'on a besoin d'un brin de romanesque; dans notre vie cela existe; on ne passe pas son temps à s'embrasser parce qu'à haute dose, cela deviendrait un peu forcé mais il y a des moments, des périodes, où l'on a besoin de tendresse exprimée. Ce ne sont pas de grandes scènes sentimentales comme sur l'écran, mais cet amour entre nous, on le sent; d'ailleurs s'il était complètement mort, je ne resterais pas mariée."

Romanesque et rites qui le perpétuent sont ignorés de notre monde contemporain. Ils ont été dévalués comme l'ont été les relations conjugales. Pourtant les rites furent de tout temps un instrument d'unité car ils faisaient communier aux mêmes valeurs les membres d'un groupe donné. Leur importance est également grande pour les époux.

"Il y a des êtres, nous dit une femme plus âgée, mariée elle aussi, qui accordent beaucoup d'importance aux rites qui caractérisent en quelque sorte leur vie de couple. Je pense personnellement qu'au début du mariage on a faim... d'amour ou de quelque chose d'autre; et puis, au fur et à mesure que les années passent, une amitié se crée et se développe; ensuite apparaît une relation familiale avec un style de vie, des valeurs qui vous sont propres et chaque étape sur cette route est marquée d'une pierre blanche. Vous ne savez pas bien où cette aventure vous mènera mais vous appréciez la valeur de chaque pierre blanche."

Ces rites, ces cérémonies, remplissent une fonction importante dans nos vies; dans le mariage nous avons les nôtres que nous inventons et savourons à deux. Voici l'exemple que nous fournit cette femme: "Pendant dix minutes avant de nous endormir, nous bavardons tous les deux. Nos besognes quotidiennes nous séparent mais notre conversation rituelle de chaque soir nous permet une mise en commun."

Bien qu'aujourd'hui cela paraisse plus contestable, je pense que les enfants jouent un rôle important dans la vitalité et la durée d'un mariage. Un homme et une femme peuvent à leur gré décider du commencement et de la fin de leur union mais les enfants? Qu'ont-ils à dire là-dedans? Il nous apparaît clairement que l'enfant et la famille tiennent la dernière place sur la liste des priorités publiques. Pourtant la famille est l'unité de base de la société et la plus importante de nos institutions. On devrait se préoccuper avant tout de la santé et de l'intégrité de l'union conjugale tant que dure l'éducation des enfants, quelle que soit l'importance accordée à son développement personnel.

Dans le cas d'un mariage malheureux avec des enfants, on ne peut dire catégoriquement si les époux doivent ou non rester ensemble pour sauvegarder le bonheur des enfants ni quel choix sera le moins destructeur pour chacun des membres de la famille. Mais pour ceux qui ne sont pas encore mariés ou pour les couples qui n'ont pas encore d'enfants, une sérieuse délibération est nécessaire: sont-ils décidés à faire durer leur union jusqu'à ce que les enfants soient élevés? Il faudrait veiller à la qualité des rapports entre les époux car elle conditionne la qualité de la famille entière, celle de la vie qu'ils vont avoir à mener tous ensemble. Même dans le cas de divorce et de remariage, mises à part des circonstances très exception-nelles, la continuité des relations entre chacun des parents et les enfants est capitale pour la vie de ceux-ci.

La mariage nous permet d'apprendre à donner et à recevoir, il nous donne l'occasion de réaffirmer notre foi en la valeur de la vie, en ce qu'elle nous apporte de bon. Un spécialiste de thérapie conjugale nous disait en parlant de son propre mariage: "Le mariage est le miroir des valeurs que nous apprécions le plus, c'est d'ailleurs ce que je dirais aussi de l'amour. Quand vous dites à quelqu'un: 'je t'aime et je veux t'épouser' alors le mariage représente un engagement qui correspond à votre échelle de valeurs. Je crois que, lorsque deux êtres s'engagent l'un vis à vis de l'autre, ils expriment ainsi, pour une grande part, ce qu'ils sont, ce qu'ils croient mériter, ce qu'ils désirent de la vie et le rôle qu'y joue cet engagement; et en même temps ils nous révèlent quel est leur système de valeurs.

Nous nous créons nous-mêmes par les choix que nous faisons. En dépit de tous les bouleversements, beaucoup des valeurs anciennes ont subsisté et inspirent les fondements du mariage. Quels que soient les éléments nouveaux qui entrent en ligne de compte et qui varient selon la personnalité des conjoints, le mariage demeure l'engagement de deux êtres; cet engagement va se développer au cours des années telle une plante, se nourrir de tendresse et de sollicitude mutuelle et s'enrichir de relations avec d'autres. Nous devons prendre conscience que, même si leurs rôles respectifs se modifient et sont à redéfinir sans cesse, les époux ont, au sein de leur union, à assumer des responsabilités capitales. Cet exercice de responsabilités est partie intégrante du mariage.

Dans le monde extérieur, nous éprouverons des satisfactions en grimpant dans l'échelle sociale ou dans notre entreprise, en récoltant des éloges ou de l'admiration, en exerçant le pouvoir, en manoeuvrant des subordonnés, en devenant le président d'une grosse société, etc. Le mariage nous gratifiera de satisfactions d'un ordre tout différent: joies intérieures que nous goûterons en nous mêmes ou à deux, contentement de contribuer à rendre notre vie plus ordonnée, plus agréable, plus tonique, plus spontanée, plus chaleureuse, plus aimante; en un mot nous serons heureux de pouvoir progressivement créer le milieu favorable où nous nous épanouirons individuellement et en tant que couple. Dans cette croissance commune nous serons aidés par cette intime conviction d'être chacun reconnus et aimés pour ce que nous sommes; nous pourrons nous appuyer l'un sur l'autre dans notre cheminement vers les buts que nous nous sommes fixés d'un commun accord.

Nous avons choisis le mariage pour en célébrer ensemble les beautés et les vertus. Si nous croyons en sa valeur, si nous désirons le voir affronter victorieusement le temps, nous pourrons y trouver, mieux qu'en tout autre mode de vie, de quoi combler nos aspirations les plus profondes. Attachons-nous à faire de ce choix une véritable réussite.

F I N

FIN

LE MARIAGE OPEN

NENA O'NEILL ET GEORGE O'NEILL

le couple
un nouveau style
de vie

ÉDITIONS SELECT

$6.95

En vente chez votre marchand habituel
ou chez
PRESSES SÉLECT LTÉE
1555 ouest, rue de Louvain
Montréal, Qué.